Escapada a
NUEVA YORK

AUTORÍA DE LAS FOTOGRAFÍAS

MANUFACTURE FRANÇAISE DES PNEUMATIQUES MICHELIN
Place des Carmes-Déchaux - 63000 Clermont-Ferrand (France)

© Michelin et Cie. Propriétaires-Éditeurs 1999

Dépôt légal janvier 1999 - ISBN 2-06-661101-8 - ISSN en cours

Impreso en España 12-98/1

NEUMÁTICOS MICHELIN S.A.
Doctor Zamenhof 22, 28027 Madrid
☎ 91 410 50 00
www.michelin-travel.com

SUMARIO

INTRODUCCIÓN

Mapa de los cinco boroughs de Nueva York.

Si visita Nueva York por vez primera, haga acopio de energías, pues descubrir esta ciudad le exigirá la resistencia de un atleta. Eso sí, desde el primer momento se sentirá como en su casa... ya se han encargado de ello el cine y la pequeña pantalla. Pero sólo allí podrá sentir el inigualable dinamismo de esta «ciudad que nunca duerme», y fundirse en sus latidos. Miles de cosas que ver y que hacer, eso es lo que le espera, y a cada vuelta de la esquina encontrará algo de lo que sorprenderse. La Estatua de la Libertad, los puestos de perritos calientes, los *pretzels* (panecillos salados en forma de nudo que le harán la boca agua), las calles que –flanqueadas de rascacielos– se convierten en impresionantes desfiladeros, el hervidero de neoyorquinos en pleno ajetreo, habitantes orgullosos de una ciudad a la que cariñosamente llaman «la Gran Manzana».

El Puente de Brooklyn al atardecer.

CÓMO LLEGAR

Formalidades de entrada

Consulte la reseña titulada **Aduana** en la sección
«Informaciones prácticas», al final de esta guía.

Cómo llegar

La mayoría de los vuelos transatlánticos aterrizan en
el aeropuerto John F. Kennedy (JFK). El aeropuerto
de La Guardia (LGA) está dedicado
fundamentalmente a vuelos procedentes del interior
de los Estados Unidos. Ambos están situados en
Queens, a una hora y a media hora de Manhattan
respectivamente. El aeropuerto de Newark (Newark
International Airport), en Nueva Jersey (a unos
45 min por carretera de Manhattan), también recibe
vuelos nacionales e internacionales.

Le informamos de que la oferta turística para
visitar Nueva York (billete de avión y alojamiento) es
muy variada, también en lo relativo al presupuesto.
Por ello le recomendamos que compare antes de
decidirse. Los billetes más baratos los encontrará a
menudo en agencias de viajes especializadas en
vuelos intercontinentales y en las compañías de
chárters. Las compañías aéreas venden unos billetes
denominados *apex* y *super-apex*. Las revistas y la
edición dominical de muchos periódicos son una
excelente fuente de información, pues en ellas se
anuncian regularmente todas las ofertas.

Si reserva un paquete que incluya billete de avión
más alquiler de vehículo y/o alojamiento, gastará
menos dinero que si reserva estos servicios por
separado. Las agencias de viaje disponen de folletos
sobre este tipo de ofertas.

Traslado a Nueva York desde los aeropuertos

Consulte la reseña titulada **Aeropuertos** en la sección
«Informaciones prácticas», al final de esta guía.

*Policía montada
por los calles de
Nueva York.*

SITUACÍON GEOGRÁFICA

La ciudad de Nueva York está situada en el extremo
Sudeste del estado de Nueva York, al que rodean los
estados de Nueva Jersey (al Oeste) y Connecticut (al
Noroeste), y la isla de Long Island (al Este). Se
extiende sobre las islas de la recortada bahía de
Nueva York y del estrecho de Long Island, unidas
entre sí por una red de túneles y puentes.

La isla de Manhattan está rodeada por la bahía del
Upper New York al Sur, el río Hudson al Oeste y
por el East River al Este. Al Noreste, el Harlem
River la separa del estado de Nueva York.

Los cinco «boroughs»

En un principio, Nueva York sólo ocupaba la isla de
Manhattan. Los cinco *boroughs* (especie de distritos
metropolitanos dotados un estatuto administrativo y
jurídico) que componen la ciudad de nuestros días
representan una superficie total de aproximadamente
828 km². Estos cinco *boroughs* son: Manhattan, el

*Manhattan limita al
Oeste con el río
Hudson.*

La isla de Manhattan a vista de pájaro.

Bronx, Brooklyn, Queens y Staten Island, cada uno con sus rasgos distintivos. (El ensanche de la zona metropolitana de Nueva York se extiende a través de 22 condados, algunos de los cuales están situados en los estados limítrofes).

Manhattan es sin duda alguna el centro de Nueva York. Este es el Nueva York que han hecho famoso el cine y la televisión: los rascacielos, los teatros, los museos, las galerías de arte, Chinatown, Greenwich Village, el East Village, Central Park y Harlem. Manhattan está dividida en tres distritos principales: Downtown, la parte más meridional, se extiende hacia el Norte a partir del barrio financiero (Financial District) hasta la calle 14. Midtown continúa hacia el Norte hasta Central Park, a la altura de la calle 59. Más allá se encuentra Uptown, también llamada Upper Manhattan.

Al Norte de la calle 14, Nueva York es una cuadrícula formada por calles y avenidas. Las avenidas discurren en sentido Norte-Sur, y están numeradas de la 1 a la 12, empezando a contar a partir del Este. Las calles trazan el recorrido de Este a Oeste y cortan las avenidas. Algunas avenidas tienen, además de un nombre, un número: es el caso de la 6ª avenida, por ejemplo, llamada también Avenue of the Americas. Por otra parte, muchas calles de Downtown siguen un trazado anterior a la cuadrícula, y en vez de números tienen nombres. Por ejemplo: Bleecker Street y Wall Street.

El **Bronx** es el barrio más septentrional y el único no situado en una isla. A pesar de su mala reputación, asociada a un alto índice de criminalidad (sobre todo en la parte Sur), engloba unas 2000 ha de parques, de las que forman parte el zoo del Bronx y el Jardín Botánico de Nueva York, un auténtico remanso de paz.

Brooklyn, en el extremo occidental de Long Island, está unido al resto de la ciudad por tres puentes que atraviesan el East River, de los cuales el más conocido es el Brooklyn Bridge. Desde este puente, ya sea a pie o en coche, disfrutará de excepcionales vistas de Manhattan y el río. Con más de dos millones de habitantes, Brooklyn es el más poblado de los distritos neoyorquinos; en él encontrará numerosos puntos de interés: el Brooklyn Heights District (barrio histórico), el Prospect Park (213 ha) o el Brooklyn Museum, situado en East Parkway.

Queens (en Long Island, al Noreste de Brooklyn) es el mayor distrito de Nueva York. La mayoría de los turistas sólo lo atraviesan cuando realizan el trayecto de los aeropuertos Kennedy y La Guardia, ubicados en este *borough*.

Recibe su nombre como homenaje a Catalina de Braganza, esposa del soberano británico Carlos II (1630-1685). Aquí se desarrollan anualmente los campeonatos de tenis del US Open, en el parque de Flushing Meadow-Corona. Más al Norte se encuentra el Shea Stadium, feudo de los New York Mets, famoso equipo de béisbol.

Staten Island. Este distrito se mantuvo en gran medida al margen de los demás hasta que en 1964 se construyera el puente Verrazano-Narrows, que lo

Vista de Manhattan desde lo alto del Empire State Building.

unió con Brooklyn. Es el más pequeño de los cinco *boroughs*, con tan sólo 380.000 habitantes. A pesar del intenso desarrollo urbanístico ocurrido en el transcurso de las últimas décadas, ha sabido conservar su carácter rural. Sus habitantes, cuando se refieren a Manhattan, hablan de la «ciudad». También podrá desplazarse allí en el famoso Staten Island Ferry, y sólo le costará 50 céntimos.

HISTORIA

La historia de Nueva York es más antigua de lo que podríamos pensar a la vista de sus mastodónticas construcciones de hormigón. En las siguientes líneas descubrirá que antes de que llegaran los rascacielos ocurrieron muchas otras cosas.

Los primeros habitantes

Mucho antes de la llegada de los europeos, la región que rodeaba el Hudson estaba poblada por tribus amerindias, pertenecientes principalmente a dos grupos indígenas: los algonquinos y los iroqueses, enemigos jurados. Las tribus de algonquinos fueron las primeras en asentarse en la región. Vivían en *wigwams* y cultivaban la tierra: habas, maíz, guisantes, patatas, calabazas, tabaco y disponían de huertos; también criaban ganado. Por su parte, las tribus iroquesas vivían en alargadas viviendas comunales, recubiertas de corteza de árbol, de ahí su nombre: «pueblo de las casas largas». Estas tribus, de carácter más belicoso, estaban formadas sobre todo por cazadores. Las hostilidades entre los dos grupos indígenas continuaron con la llegada de los europeos.

Este paisaje de rascacielos puede hacerle pensar que Nueva York fue una ciudad construida de la nada: ¡no se deje engañar!

Metropolitan Museum of Art: En este cuadro George Bingham representa a dos comerciantes de pieles que descienden el curso del río Missouri.

Los primeros exploradores

Los primeros europeos que fondearon en la bahía de Nueva York buscaban el mítico paso del Noroeste hacia las Indias.

Giovanni da Verrazano, florentino al frente de un buque francés, ancló en la bahía en 1524.

Henry Hudson, capitán inglés a sueldo de la Compañía Holandesa de las Indias Orientales, llegó en 1609. Remontó el río que hoy lleva su nombre hasta el actual emplazamiento de la capital del estado de Nueva York, Albany. Fue allí donde Hudson y su tripulación negociaron con los indígenas, quienes acudieron a ofrecerles pieles y cueros.

En 1613, el holandés Adriaen Block estableció una plaza comercial en Nassau, actual Albany. Su navío, el *Tiger*, se incendiaría más tarde mientras fondeaba, cargado de pieles, en la isla de Manhattan. Los restos calcinados del buque se encontraron durante las excavaciones desarrolladas en Battery Park para la construcción del World Trade Center.

Los holandeses

Los primeros colonos holandeses tomaron rumbo a América del Norte en 1624, para fundar allí Nueva Holanda. Al año siguiente se estableció una colonia permanente en la isla de Manhattan, a la que bautizaron como Nueva Amsterdam. El primer gobernador de la colonia, Peter Minuit, asumió el mando en 1626 y compró la isla a los indios de Manhattan por baratijas que no superaban los 24 dólares. Los holandeses se preocuparon en primer lugar de mantener relaciones pacíficas con los Amerindios de la zona, a fin de garantizar el comercio de pieles y otros productos que éstos les proporcionaban. A pesar de ello, con el paso del tiempo la necesidad de tierra se convirtió en cuestión prioritaria, y los indígenas ocupaban la mayor parte. Las relaciones entre ambas comunidades comenzaron a degradarse con el nombramiento de Willem Kieft, en 1637, como gobernador general. Éste comenzó a desplazar sin piedad a los indígenas, sometiéndolos primero al pago desmedido de impuestos, y finalmente mediante la aplicación de una política represiva que llevó al derramamiento de sangre. Las tribus tomaron represalias y se impuso prácticamente el estado de guerra hasta la mitad de la década de 1640.

Tras haber gestionado satisfactoriamente puestos coloniales holandeses en Curaçao y en Brasil, Peter Stuyvesant fue nombrado gobernador general en 1647. Se le encomendó la tarea de poner fin al problema indio y «sanear» Nueva Amsterdam, que entre tanto había adquirido fama por sus costumbres relajadas. Durante su gestión se adoquinaron las calles, se construyeron viviendas de ladrillo, se dotó a la ciudad de jardines y se desarrolló una infraestructura comercial. Hizo construir una muralla

Sello de la ciudad de Nueva York.

(wall) que atravesaba la isla desde el río Hudson hasta el East River: trazado actual de Wall Street. Peter Stuyvesant también fue despiadado con los indígenas. Llegó incluso a vender a algunos como esclavos en el Caribe. Sembró cizaña entre las diversas tribus, y logró hacerles frente mediante tejemanejes. Peter Stuyvesant aportó prosperidad y estabilidad a la colonia; no obstante, su autoritarismo y su intolerancia religiosa frente a los no pertenecientes a la Iglesia reformada holandesa le ganaron la antipatía de la población.

Los británicos

Los británicos ya llevaban tiempo asentados en la costa Este americana. También hacía tiempo que tenían puestos los ojos en Nueva Amsterdam, de cuyo potencial como puerto eran conscientes, además de las riquezas que ofrecía el interior del litoral, fácilmente accesible a través del río Hudson.

En 1664, sin tener que realizar un disparo, tomaron posesión de la ciudad. Sus habitantes abandonaron las fortificaciones erigidas por Stuyvesant y aclamaron a los invasores, llegados en cuatro buques. Rebautizaron la colonia en honor del duque de York, James, hermano de Carlos II.

Nueva York prosperó con la dominación británica, y su población alcanzaba ya los 20.000 habitantes en 1700: una peculiar mezcla de ingleses, holandeses, irlandeses, franceses, alemanes y suecos. Los africanos, en su mayoría esclavos, también eran cada vez más numerosos.

La revolución americana

La economía británica sobrevivía gracias a la contribución de los colonos, pero éstos sentían que era poco lo que obtenían a cambio. No disponían de representación política alguna, y sin embargo estaban sometidos al pago de cuantiosos impuestos. Pasado el tiempo, se promulgaron leyes por las que se restringía el libre comercio fundamentalmente o se les prohibía establecerse en determinadas zonas. En

Estatua de George Washington en el exterior del Federal Hall National Memorial, donde prestó juramento como primer presidente de los Estados Unidos.

1775 el descontento se convirtió en revolución, y se produjeron las batallas de Lexington y de Concord, en Massachusetts. El 4 de julio de 1776, se adoptó la Declaración de Independencia.

Hasta el fin de la guerra, Nueva York constituyó la base principal del ejército y la marina británicos. Durante el transcurso de la guerra las condiciones de vida se volvieron extremadamente difíciles. El hambre y las enfermedades se adueñaron de la población, que había crecido hasta alcanzar los 30.000 habitantes debido a la afluencia de tropas, prisioneros y refugiados. Los británicos ocuparían la ciudad hasta el final de las hostilidades, en 1783.

El general George Washington regresó a Nueva York como vencedor, donde se despidió de su estado mayor en el transcurso de una cena celebrada el 4 de diciembre de 1783 en Fraunces Tavern, en Pearl Street. Como era de esperar, Washington fue nombrado primer presidente de esta nueva nación, la ciudad de Nueva York se convirtió en su nueva capital, aunque sólo lo sería por un año.

La ciudad crece

Con la paz, la prosperidad volvió a Nueva York. En el año 1800 la población alcanzó los 60.000 habitantes, amontonados en su mayoría en un laberinto de calles estrechas e insalubres, en la punta Sur de Manhattan.

El proyecto urbano por el que una red de calles cubriría toda la isla formando una cuadrícula vio la luz en 1811.

La colonización del estado comenzó por el Norte. La apertura, en 1825, del canal Erie (582 km de largo) entre Buffalo y Albany proporcionaría un importante

Entre los rascacielos aún asoman edificios del pasado.

impulso al desarrollo de la ciudad. Esta vía navegable se convirtió en una arteria por la que fluía el comercio con las grandes llanuras del Medio Oeste, auténtico granero de la nación. Con la creación de las vías férreas, Nueva York se convirtió en el primer puerto de mar del país, y en principal punto de llegada para los inmigrantes procedentes del otro lado del Atlántico.

La ciudad comenzó a crecer hacia lo alto a finales del s. XIX, gracias a la introducción de técnicas de construcción que utilizaban el acero como material y al desarrollo del ascensor. El Flatiron Building, uno de los primeros rascacielos de Nueva York, se inauguró en 1902. En 1913, el Woolworth Building –con sus 60 piso– fue proclamado el edificio más alto del mundo. Hoy en día parece una miniatura, comparado a los 110 pisos del World Trade Center, inaugurado en 1970.

La inmigración: «muchedumbre que ansía respirar en libertad»

En los tiempos en que la mayoría de los inmigrantes arribaba en barco a Nueva York, eran dos los puntos principales que señalaban la llegada.

El primero era la monumental Estatua de la Libertad, que proclamaba: «dadme a vuestros hastiados, a vuestros pobres, a vuestra muchedumbre que ansía respirar en libertad». El segundo era Ellis Island, paso obligado para los que querían establecerse en el país: allí se les sometía a examen médico, se controlaban sus documentos y se les entrevistaba. Entre 1892 y 1954, alrededor de

Izquierda: El curioso Flatiron fue uno de los primeros rascacielos neoyorquinos

La Estatua de la Libertad daba la bienvenida a los inmigrantes que buscaban una nueva patria.

17 millones de inmigrantes pasaron por el tamiz de Ellis Island antes de poder comenzar una nueva vida en la América de sus sueños. Muchos de ellos no se alejaron de la isla más que unos pocos kilómetros, integrándose en el seno de cualquiera de las numerosas comunidades étnicas que habitaban la ciudad. La primera ola de inmigrantes europeos procedía de Alemania e Irlanda, país este último castigado en 1846 por la «gran hambruna» de la patata. Catástrofes posteriores hicieron que los irlandeses acudieran en grupos ingentes, de modo que pronto constituyeron la cuarta parte de la población de la ciudad.

El Museo de Ellis Island, en el islote situado justo al Norte de la Estatua de la Libertad.

La década siguiente vio la llegada de miles de europeos del Este: lituanos, polacos, rumanos, rusos y ucranianos, muchos de ellos judíos. La década de 1870 está marcada por la llegada de enormes oleadas de italianos del Sur. Por desgracia, las calamidades que esperaban dejar atrás les estaban esperando de nuevo al otro lado del océano, esta vez en forma de viviendas sórdidas y de trabajo en los talleres del Lower East Side.

El animado barrio de Chinatown debe su existencia a que numerosos chinos empleados en las obras ferroviarias del Oeste americano decidieron instalarse en la ciudad. En la actualidad, la población de Chinatown alcanza aproximadamente las 150.000 personas.

En nuestros días, los descendientes de aquellos primeros inmigrantes están dispersos por el extrarradio de la zona metropolitana de Nueva York; no obstante, algunos barrios han mantenido su carácter étnico de forma pronunciada. Desde la Segunda Guerra Mundial, la proporción de hispanoamericanos y afroamericanos ha aumentado considerablemente.

En «Little Italy» podrá comer italiano...

PRESENTACIÓN

SU GENTE Y CULTURA

La ciudad de Nueva York ha sido a menudo calificada de *melting pot*, crisol donde los desamparados, los luchadores, se fundían al calor del sol americano. Por supuesto, la voluntad de asimilación ha desdibujado las líneas que delimitaban claramente a cada uno de los grupos. Pero muchos emigrantes afincados en Nueva York han sabido salir de la metamorfosis que les ha convertido en americanos preservando al mismo tiempo su cultura y costumbres; el secreto ha consistido en saber conservar el sentido de comunidad y en seguir hablando el propio idioma en su seno, en aferrarse a las celebraciones del calendario de su país de origen, y en el mantenimiento de sus lugares de culto: iglesias, sinagogas, mezquitas y templos.

Quizá el mejor modo de describir el Nueva York de nuestros días sería compararlo con un puzle formado por piezas de todos los colores y formas, eso sí, un puzle cuya figura o motivo se reproduce sin cesar, en continua mudanza. Los descendientes de los primeros colonos (holandeses y británicos) están diseminados un poco por todas partes, y en

... ¡y no muy lejos comprar un periódico chino!

22

muchos casos abandonaron la ciudad. La presencia
germánica se deja sentir especialmente en la zona de
Yorkville, en Manhattan, y encontrará fácilmente
irlandeses en el Bronx y en algunas partes de
Queens. Little Italy y Chinatown tienen un carácter
tan marcado que no tendrá duda alguna a la hora de
identificarlos. Las comunidades judías, asentadas
antaño en el Lower East Side, se han mudado al
Bronx, Brooklyn y Queens, y los portorriqueños
han ocupado su lugar. Otras comunidades
afroamericanas o caribeñas se han instalado en
Harlem, el Bronx, Brooklyn, el Upper East Side y la
parte baja de Washington Heights.

*En las calles de
Nueva York se
mezcla gente de
todas las razas.*

El entorno cultural

Sin duda, la riqueza y diversidad de la vida cultural de Nueva York se debe a esta mezcla de pueblos y culturas. La ciudad cuenta con más galerías, museos, salas de conciertos y teatros que cualquier otra ciudad de los Estados Unidos. Gran parte de sus instituciones culturales y centros dedicados a las artes del espectáculo son donaciones de generosos benefactores, que han dado así muestra de su civismo.

Sólo en Broadway, principalmente en Chelsea y Greenwich Village, se cuentan aproximadamente 40 salas de espectáculos. El área metropolitana comprende alrededor de 400 salas de cine y 125 galerías de arte, eso sin contar las instituciones conocidas en todo el mundo.

La influencia neoyorquina en las artes, la arquitectura, la danza, el teatro, el cine, la literatura y la música (sobre todo en lo que se refiere a los

Algunas partes de la ciudad están cubiertas de carteles publicitarios.

temas musicales de los grandes espectáculos de Broadway) continúa dominando la escena cultural americana y mundial.

La educación es un objetivo prioritario de esta ciudad. El municipio gestiona el sistema educativo público hasta el nivel universitario. Durante más de un siglo los residentes de Nueva York no han tenido que pagar ni siquiera los gastos de matrícula de la universidad. Fue en 1976, al verse la ciudad al borde de la quiebra, cuando se empezaron a cobrar tasas. Alrededor de 175.000 estudiantes están matriculados en las diversas facultades de la Universidad de la Ciudad de Nueva York (New York City University), repartidas por los cinco barrios.

La Biblioteca de Nueva York (New York City Public Library), en la 5ª avenida, se enorgullece de poseer más de cinco millones de volúmenes y 12 millones de manuscritos. Es también una de las bibliotecas de investigación mejor provistas del mundo.

No se olvide de incluir en su programa ir a algún espectáculo de Broadway.

25

VISITAS IMPRESCINDIBLES

Podrá recabar información sobre visitas organizadas, o
sobre actividades desarrolladas en la ciudad, así como
obtener un plano de la ciudad en el New York
Convention & Visitors Bureau (Oficina de Turismo);
℡ 212/484-1222. A continuación le ofrecemos una lista
básica de los principales lugares interés para cualquiera
que visite la ciudad por primera vez. Más adelante le
presentaremos cada uno de estos lugares con detalle.

American Museum of Natural History★★★
(Museo Americano de Historia Natural). Está
situado al lado de Central Park, entre las calles 77 y
la 81. Este museo, famoso en el mundo entero,
festejó su 125 aniversario en 1995. Sus variadas
colecciones están compuestas por millones de piezas.

Ellis Island★★. En esta isla pisaban tierra por
primera vez los cientos de miles de inmigrantes que
acudían a América buscando una nueva vida. El Ellis
Island Immigration Museum (Museo de la Inmigración)
da cuenta de aquella desgarradora experiencia.

Empire State Building★★★. Situado en la
5ª avenida, a la altura de la calle 34, este edificio
–uno de los emblemas de Nueva York– fue
construido a principios de los años treinta. Sus dos
miradores abren todos los días hasta medianoche.

Estatua dorada de Prometeo, en el Rockefeller Center.

Museum of Modern Art★★★. (Museo de Arte
Moderno). Situado en la 11 West 53rd Street, esta
colección (compuesta cerca de 100.000 obras) es una
de las más completas del mundo.

Metropolitan Museum of Art★★★. Situado en
Central Park, en la intersección de la 5ª avenida con la
calle 82. ¡Cuidado con este museo! Es tan fascinante
que podría pasarse toda su estancia metido en él.

Rockefeller Center★★★. Es a la vez un centro
comercial y un conjunto de salas de espectáculos y
de restaurantes. Está delimitado a un lado por la 5ª y
la 6ª avenida, y al otro por las calles 47 y 52.

Central Park★★★. En el corazón de Manhattan,
es un remanso en plena vorágine de la ciudad. Allí
encontrará numerosas instalaciones recreativas,

además de un zoo, un lago y el Belvedere Castle, ¡para que no se aburra!

La **Estatua de la Libertad**★★★ acoge con gesto benévolo a quienes la visitan. Regalo de Francia, fue erigida en 1886 y conmemora la alianza entre Francia y los Estados Unidos firmada en 1778.

El **United Nations Building**★★★ (Sede de las Naciones Unidas). Ejemplo clásico de la arquitectura del s. XX. Situado en la 5ª avenida, entre las calles 42 y 49.

El **World Trade Center**★★ (Centro de Comercio Internacional). Tendrá fácil identificar sus dos torres gemelas, las más altas de la ciudad. Estas torres ofrecen vistas inigualables de Manhattan. También podrá disfrutar de un excelente almuerzo con las animadas calles de Nueva York a sus pies.

NUEVA YORK SE PRESENTA

Seguramente le parecerá a primera vista que durante una breve escapada a Nueva York es poco lo que le dará tiempo a ver, sin embargo —con un poco de organización— podrá sacarle mucho jugo a este primer mordisco a la Gran Manzana, apelativo cariñoso que recibe la ciudad. Todo dependerá de sus intereses, de su resistencia... y de su presupuesto: podrá explorar la ciudad en helicóptero o en barco, en autocar o en limusina, o (por qué no) a pie. La oferta incluye visitas culturales a pie en el Lower East Side (Chinatown y Little Italy incluidas), paseos en bicicleta por Central Park, visitas a Harlem para «degustar» el gospel etc.

Es desconcertante para cualquiera llegar a una ciudad, y además de este tamaño, en la que no se conoce a nadie y donde no se sabe por dónde empezar. Si éste es su caso, Nueva York dispone de un magnífico servicio que le será de gran ayuda: el **Big Apple Greeter** (✆ 212/669-2896). Auténticos neoyorquinos, amantes de su ciudad, la comparten gustosos con quienes la visitan y estarán encantados de echarle una mano para que sepa por donde hincarle el diente a la Manzana: *«We like to make the Big Apple feel smaller».* Le explicarán cuáles son los lugares más visitados y cómo utilizar el metro. Responderán a todas sus preguntas y le indicarán cuales son las atracciones de mayor interés, algunas quizá poco conocidas, así como dónde encontrar jardines o rincones más tranquilos. Este servicio es gratuito, pero le recomendamos que se ponga en contacto con ellos con 48 horas de antelación.

Encontrará las direcciones y números de teléfono de los servicios mencionados a continuación en el capítulo titulado **Informaciones prácticas,** *al final de esta guía.*

En helicóptero
Island Helicopter Sighteseeing le pone Manhattan en bandeja. El recorrido abarca cada uno de los

Este es el ferry que une Liberty Island con Manhattan.

lugares famosos de Manhattan, así como los ríos Hudson y East River.

En barco

Disfrutará de una vista panorámica de Manhattan si coge la **Circle Line**. El trayecto (56 km) rodea la isla de Manhattan por completo.

También dispone de una oferta de paseos alrededor de Lower Manhattan y hasta la Estatua de la Libertad, así como el crucero Harbor Lights (Luces del Puerto), al atardecer.

Spirit Cruises organiza a diario cruceros en los que se incluye el almuerzo o la cena a bordo, además de un espectáculo de variedades y orquesta de baile (✆ 212/727-2789).

A pie

Son varias las ofertas de que dispone: Los **Shoestring Safaris** («safaris de asfalto») tienen una duración de hora y media y le permiten descubrir a los artistas del Soho o Greenwich Village, por ejemplo; los **Sidewalks of New York** («las aceras de Nueva York») le desvelarán los aspectos más sorprendentes de la ciudad. Estos paseos se centran en los lugares de residencia de celebridades, escenas de conmovedores crímenes y casas embrujadas.

Los viernes se organiza un paseo gratuito de dos horas por Times Square: el **Times Square Walking Tour**. Es una oportunidad para descubrir su arquitectura, la historia de sus compañías de teatro y los escándalos célebres que allí se han producido. El punto de partida de esta excursión es el Times Square Visitor Center, en la esquina de la calle 42 con la 7ª avenida.

Visitas guiadas originales

El programa **«We ate New York»** (Nos comimos Nueva York) le brinda la posibilidad de visitar los restaurantes como invitado de excepción: podrá conocer directamente al personal, degustar una excelente cocina, elaborada por *chefs* de primera, y hacerse con algunos de los «trucos» que ellos mismos le contarán sin reparo. En alguna de las visitas se incluye la demostración de cómo se elaboran los platos... ¡y también que usted se los coma!

El Rock and Roll Bus Tour es un recorrido de dos horas y media por el mundillo del Rock. Visitará los estudios donde Elvis grabó su disco sencillo *Hound dog*, y las antiguas residencias de superestrellas como John Lennon, Madonna o Bob Dylan. Los comentarios están sazonados con algunos chismes del mundo del espectáculo.

Algunos edificios o complejos también ofrecen visitas guiadas. Una de las más recomendadas es la visita entre bastidores del **Lincoln Center**. La cadena de televisión **NBC** (National Broadcasting Company) ofrece una visita guiada cada quince minutos, de 9 h 30 a 16 h 30. A veces incluye la visita del plató de ciertos programas de televisión. No se permite la entrada de niños menores de seis años. **Radio City Music Hall**, en el 1260 de la 6ª avenida, ofrece una visita muy interesante de alrededor de una hora de duración, durante la cual los participantes pueden conocer a alguna de las coristas de la famosa compañía de las Rockettes.

¡Por indicaciones que no quede!

PASEOS POR MANHATTAN

La mejor forma de conocer Nueva York es hacerlo a pie. A continuación le sugerimos tres paseos (de un par de horas de duración cada uno) que le proporcionarán una primera impresión de Manhattan.

Greenwich Village★★

El Village es la zona «progre» de Nueva York. Se trata de un laberinto de callejas, tiendecitas, bares y terrazas de cafés, al que caracteriza su ambiente animado y personal a la vez. Para llegar allí, coja las líneas de metro 1 ó 9 hasta Christopher Street/Sheridan Square. Al salir, coja Christopher Street en dirección Oeste hasta Bleecker Street. Christopher Street está poblada de numerosos bares de gays (también son bienvenidos los clientes heterosexuales) y fue escenario de protestas en 1969, tras una redada policial en Stonewall Inn, situado en el n° 51 de la misma calle. Este episodio marcó el

Caliente Corner, uno de los muchos cafés que animan Greenwich Village.

nacimiento del Movimiento para la Liberación de los Homosexuales.

Entre ahora a mano izquierda en Bleecker Street, de marcado carácter italiano, atraviese la 7ª avenida y continúe hacia la 6ª. Es aquí, en la iglesia de Nuestra Señora de Pompeya, donde la madre Cabrini (la primera santa americana) llevó su vida de devoción.

En la esquina de Bleecker con MacDougal Street encontramos dos cafés ya famosos en la época de Los Beatniks: el **Café Borgia**, cuyo antiguo nombre era The Scene, y **Le Figaro Café**, lugar predilecto de Jack Kerouac.

Si sigue por Bleecker Street hacia el Norte, pasará delante de la **Provincetown Playhouse**, teatro que vio el estreno de las primeras obras de Eugene O'Neill. MacDougal Street desemboca en el Sudoeste de **Washington Square**★★, corazón del Village y residencia –en periodos diferentes– de los escritores Henry James, John Dos Passos, Theodore Dreiser y O. Henry.

Muchos de los edificios que forman Washington Square pertenecen a la Universidad de Nueva York (**New York University**). Cada año (en los meses de mayo, junio y septiembre), cientos de artistas muestran su trabajo en el marco del **Washington Square Outdoor Art Exhibit** (exposición de obras de arte al aire libre). The Row, manzana de casas de estilo federal, domina una umbrosa plaza, muy frecuentada por patinadores, jugadores de ajedrez y artistas ambulantes. El **Washington Arch**★ conmemora el centenario de la investidura de George Washington como primer presidente de los Estados Unidos y marca el límite meridional de la 5ª avenida.

Desde la 5ª avenida gire a la izquierda en West 10th Street. Una espléndida pintura mural de John LaFarge decora la iglesia de la Ascensión (**Church of the Ascension**). Continúe hasta la 6ª avenida, desde donde Christopher Street le conducirá a Sheridan Square.

Puesto de verdura en Chinatown.

Chinatown★★

Atestado, ruidoso, en continua ebullición, así es Chinatown, y especialmente su principal arteria: Mott Street. Merece la pena explorar las calles que la cruzan. Para desplazarse hasta allí coja el metro (líneas 6, J, M, R o Z) hasta Canal Street. Si avanza por esta calle, rumbo Este, se verá gradualmente sumergido en el ambiente característico de Chinatown, con sus tiendecitas y sus puestos de frutas y verduras exóticas.

Gire a la derecha en Bowery y camine hasta Confucius Plaza, la reconocerá fácilmente gracias a la estatua de bronce de este sabio. Chatham Square está rodeada de edificios que datan de finales del s. XVIII y de principios del XIX. En el lado izquierdo de la plaza, el cementerio israelita de First Shearith Israel data de 1683.

En el ángulo Sudoeste de Chatham Square gire a la derecha para entrar en Mott Street. Esta animada calle es un hervidero de gente y en ella encontrará numerosos restaurantes y tiendas chinas y orientales. El templo budista que ocupa el n° 64 de la calle se

Entrada al New York Stock Exchange.

alza allí desde hace más de 80 años. Los católicos chinos rezan en la gran iglesia de la Transfiguración, a la que también llaman The Little Church Around the Corner, situada en la esquina de Mott Street con Park Row Street. Si continúa hacia el Norte por Mott Street, volverá a salir a Canal Street.

Financial district★★★

Situado en la parte Sur de Manhattan, es el barrio financiero donde se hacen y deshacen fortunas y reputaciones. Tome la línea 4 ó 5 de metro hasta **Wall Street★★**: Desde 1792 este lugar ha sido el centro de la actividad financiera. En aquel año, un grupo de corredores se reunió bajo un platanero y decidió fundar allí lo que se convertiría en el **New York Stock Exchange★** (la bolsa de valores neoyorquina). Si lo desea, podrá comprobar cómo han cambiado las cosas a lo largo de los dos últimos siglos desde la galería destinada a los visitantes. Será testigo del trajín diario en el que se desarrollan las transacciones y se cierran los negocios.

Dirija su mirada hacia el Este de Wall Street y obtendrá una preciosa vista de **Trinity Church★★**, enmarcada por rascacielos. Cuando se construyó, en 1846, este edificio era el más alto de la ciudad. En su recorrido de Wall Street (cuya longitud no rebasa los 550 m), entre a medio camino en William Street y continúe hasta Hanover Square, remanso rodeado de árboles y bancos. En esta plaza vivió en otro tiempo el Capitán Kidd y tenía su sede la Bolsa del Algodón de Nueva York, en el edificio que alberga hoy día el célebre bar **Harry's of Hanover Square**.

Al Sudeste de esta plaza, coja Pearl Street en dirección Sur, hacia Broad Street. Pasará delante del **Fraunces Tavern Museum★**, de estilo neo-georgiano. Toda esta manzana de casas ha sido clasificada como barrio histórico. Al otro lado de la calle, en el n° 85 de Broad Street, observará en la gran plaza unos paneles de cristal tras los que podrá contemplar los cimientos de un albergue del s. XVII, que antaño hizo las veces de Ayuntamiento.

Wall Street limita al Norte con la Trinity Church.

Cruce Broad Street y diríjase hacia el Norte a lo largo de Bridge Street. Después gire a la derecha en State Street. La antigua oficina de Aduanas, decorada con estatuas, alberga actualmente el **National Museum of the American Indian**★★ (Museo Amerindio), justo enfrente de Bowling Green, primer jardín público de la ciudad (abierto en 1773).

State Street está a un paso de **Battery Park**★, desde donde podrá disfrutar de una buena vista del puerto de Nueva York y visitar el museo de **Castle Clinton**★, fortaleza de ladrillo construida en 1811. Además, aquí encontrará el despacho de billetes para los transbordadores que llevan a Ellis Island y a la Estatua de la Libertad. Continúe hacia el Este por el parque hasta la terminal del Staten Island Ferry y la estación de metro de South Ferry.

Este águila de bronce se encuentra en el centro del East Coast Memorial, en Battery Park.

PUNTOS DE INTERÉS

Sería imposible enumerar por completo los puntos de interés que encuentra quien visita Nueva York. Por ello, nos limitamos a ofrecerle una selección que le ayudará a diseñar su propio itinerario. Esta descripción detallada se centra principalmente en Manhattan, o en lugares de fácil acceso desde Manhattan. Está dividida en museos, iglesias, parques y zoos, así como lugares de interés histórico. Más adelante en la guía encontrará apartados dedicados a los otros barrios de Nueva York y a los alrededores.

Museos

El **American Craft Museum**★, en el 40 West 53rd Street, es el centro de exposiciones del American Craft Council. Exhibe lo mejor del país en artesanía de la cerámica, el vidrio, la madera, los metales, el mimbre y lo textil.

El **American Museum of the Moving Image**★ ocupa una parte de los antiguos estudios de producción Astoria, abiertos en 1917. Está situado al final de Steinway Avenue, entre las avenidas 35 y 36 de Queens. Este museo presenta, a través de montajes interactivos, la historia del cine, de la televisión y del vídeo, además de recuerdos diversos, como el vestuario y los decorados de destacadas producciones cinematográficas.

El **American Museum of Natural History**★★★ (Museo de Historia Natural), al Oeste de Central Park (entre las calles 77 y 81), es el más grande del mundo en su género. Dispone de una gigantesca colección de dinosaurios y mamuts y alberga la réplica de tamaño natural de una ballena. Le parecerá que los dinosaurios se conservan muy bien, quizás se deba a que los «hicieron un *lifting*» en 1955. Las salas dedicadas a los dinosaurios figuran entre las mejores del mundo; en ellas se exponen los esqueletos de un *Tyrannosaurus Rex* y de un *Apatosaurus*. Se están realizando obras de acondicionamiento (con un presupuesto de 30 millones de dólares) para dar cabida a la exposición de fósiles; está considerada la colección más completa del mundo y, repartida por seis salas, presentará la evolución de los vertebrados.

La sala de biología, abierta en 1993, se ocupa de la evolución de la humanidad haciendo uso de la tecnología multimedia más avanzada. Entre las múltiples atracciones destaca una sección sobre meteoritos, minerales y gemas. El Naturemax Theater le permite explorar el cuerpo humano y el universo en una pantalla de 4 pisos de altura y 18 m de largo, una experiencia que encantará a pequeños y grandes.

El célebre **Hayden Planetarium★★** (cerrado hasta el año 2000) se encuentra justo al Oeste del Museo de Historia Natural, en la calle 81, entre Central Park West y Colombus Avenue. Sus dos anfiteatros (el Guggenheim Space Theater y el Sky Theater), a modo de ventanas al universo, le ofrecen un viaje a las estrellas. Incluye también exposiciones de meteoritos y otras maravillas del espacio. Los viernes y sábados se organizan espectáculos con láser y la participación de grupos musicales de primera.

Desde Manhattan se llega fácilmente al **Brooklyn Museum★★**, en Eastern Parkway. La estación de metro Eastern Parkway está situada junto a la entrada del museo. Sus diversas colecciones están compuestas por más de un millón y medio de objetos cuya procedencia abarca desde el antiguo Egipto hasta la América contemporánea. Entre las piezas figuran ejemplos del arte precolombino, africano, chino, japonés y de Oceanía. La colección egipcia es excepcional, y una de las más bellas del mundo. Destacan las valiosas piezas del Imperio Antiguo y del Periodo Tolemaico, bastante posterior.

La impresionante colección de pintura y escultura europea y americana cuenta con al menos 58 esculturas de Rodin. También se exponen algunos cuadros de Homer, Copley, Sargent y Cassatt.

El **Children's Museum of Manhattan** (Museo de los Niños), en el 212 West 83rd Street, ofrece a los más pequeños la posibilidad de jugar con cámaras de televisión, de disfrazarse y de desarrollar su creatividad a través de la pintura y de todo tipo de actividades.

El **Ellis Island Immigration Museum** (Museo de la Inmigración) rinde homenaje a los 17 millones de personas que desembarcaron en esta isla entre 1892 y 1954. Una muestra sobre el padecimiento sufrido por aquellos inmigrantes deseosos de empezar una nueva vida en América, a través de recuerdos, películas, grabaciones y desgarradoras fotografías. Se ha erigido el American Immigrant Wall of Honor, un muro «homenaje» de forma semicircular y con una longitud de 191 m, en cuyas paredes se han inscrito los nombres de aproximadamente medio millón de inmigrantes. La visita del museo es gratuita. Desplazamiento: de junio a septiembre, cada media hora (entre las 9 h 30 y las 16 h 30) salen transbordadores de Battery Park, el resto del año cada 45 minutos (© 212/269-5755). El billete de ida y vuelta también le permite visitar la Estatua de la Libertad.

Escultura de Phillip Ratner en Liberty Island; ¿quizá a la libertad de prensa?

Ellis Island y Liberty Island en el plano.

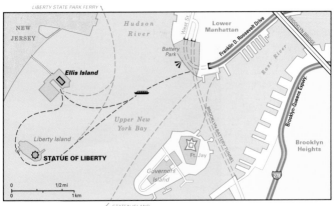

La **Frick Collection★★★**, en el 1 East 70th Street, se expone en la opulenta mansión y cuenta con numerosas obras maestras; entre ellas destacan los lienzos de Rembrandt, Bellini y El Greco. El patio de mármol ofrece a los visitantes la posibilidad de reposar un rato mientras sus ojos se deleitan con el gran estanque.

Frank Lloyd Wright diseñó el **Solomon R. Guggenheim Museum★★**, situado en la 5ª avenida (a la altura de la calle 88). El edificio mismo, en forma de espiral, es una auténtica obra de arte. Fue abierto en 1959 y desde entonces ha sido ampliado. Expone obras de grandes maestros del arte moderno como Chagall, Klee y Picasso.

El **Jewish Museum★** (Museo del Judaísmo) se encuentra en la 5ª avenida, a la altura de la calle 94. Posee una de las más bellas colecciones del mundo occidental de tema judío: 27.000 piezas procedentes de todo el planeta (objetos de culto israelita y diversas obras de arte). Gran parte de la colección proviene de varias sinagogas y encontró refugio aquí antes de que los nazis se apoderasen de Europa al

Interior del Solomon R. Guggenheim Museum.

principio de la Segunda Guerra Mundial. Diversas exposiciones dan cuenta de la vida de los judíos a lo largo de la historia, especialmente de la pobreza padecida por los primeros inmigrantes del Lower East Side, así como de los padecimientos del Holocausto.

La visita al **Metropolitan Museum of Art**★★★ (5ª avenida, a la altura de la calle 82) no es sólo un placer, sino también un deber.

Importante: Debido a restricciones presupuestarias, las salas abren por turnos. Llame con antelación para comprobar cuándo abren al público las salas que le interesan (© 212/535-7710).

El «Met», como se le denomina, fue completamente renovado para las conmemoraciones de 1995. Sus instalaciones ocupan cuatro manzanas y sus tres plantas se extienden por una superficie de 13 ha. Custodia más de 13 millones de objetos de arte, de los que apenas una cuarta parte está en exposición. No es de extrañar, pues, que sea el más grande de los museos dedicados a las artes en Occidente. El «Met» abrió sus puertas en 1872. En 1877 recibió una donación de 143 pinturas holandesas y flamencas. Su famosa colección de antigüedades tuvo unos inicios más que modestos: una única pieza romana; a ésta le siguieron los 6.000 objetos legados por un general americano, antiguo cónsul en Chipre. Hoy en día, la visita de toda la colección le llevaría días enteros. La mejor forma de «atacar» el Metropolitan es fijarse unos objetivos en función de sus intereses. Para ello, pida en la recepción un plano del museo. Además, acuérdese de llevar calzado cómodo, pues recorrer 16 ha es mucho caminar.

El museo alberga obras de arte de todas las épocas, en un recorrido que abarca desde las civilizaciones antiguas hasta la era contemporánea, y cuenta con obras maestras conocidas en todo el mundo. Los tapices, instrumentos de música, trajes y objetos de arte decorativo están en exposición

permanente. Destacan las salas consagradas al arte
europeo, americano, de África, Oceanía y las dos
Américas, al arte medieval y a las antigüedades
egipcias.

«Met» es el apodo
del Metropolitan
Museum of Art.

La **European Gallery** expone algunas obras
célebres de Brueghel, Van Eyck, Van Gogh y
Velázquez. El ala americana presenta un cuarto de
estar diseñado por Frank Lloyd Wright, el arquitecto
del cercano Guggenheim Museum, situado no muy
lejos. En el tejado del «Met» se encuentra el **Garden
of Contemporary Sculpture** (Jardín de la Escultura
Contemporánea), abierto en verano. Las **Egyptian
Galleries** ofrecen al visitante un viaje exhaustivo a
través de la milenaria civilización egipcia. Como
evocación del Nilo y sus orillas desérticas se ha
dispuesto una alfombra verde rodeada por un
revestimiento de mármol. Una espectacular galería,
protegida por paneles de cristal, alberga el pequeño
Templo de Dendur (s. I), donación del gobierno
egipcio.

El billete de entrada al museo tiene una validez de un día y también le permite el acceso a los **Cloisters**★★★ (los Claustros). Inspirado en los monasterios europeos, este sorprendente grupo de edificios está ubicado en Fort Tryon Park, a orillas del río Hudson. Estos Claustros alojan la mayor parte de las colecciones medievales del «Met». Se puede acceder a este museo con el transporte público; en verano, el mismo museo presta un servicio de minibús con salidas cada hora.

El **Museum of the City of New York**★★, situado en el 1220 de la 5ª avenida, le proporcionará toda la información que usted desee sobre la ciudad. *Big Apple* es una interesante presentación multimedia de la historia de la Gran Manzana desde 1524 hasta nuestros días. Destacaremos el recorrido histórico de la vivienda neoyorquina mediante réplicas de habitaciones desde el s. XVII hasta la primera década de nuestro siglo. El mobiliario y la decoración recrean el ambiente de la ciudad a lo largo de seis fases de su desarrollo. El museo cuenta también con una colección de piezas de orfebrería que superan los trescientos años de antigüedad. No se olvide de ver la extraordinaria colección de casas de muñecas.

Hay acuerdo en que el **Museum of Modern Art**★★★ (MOMA), en el 11 West 53rd Street, alberga la colección de arte moderno más importante del mundo. En sus seis pisos se reparten pinturas, dibujos y esculturas, pero también están representadas las artes gráficas e industriales, la arquitectura, y cuenta además con películas, fotografías y grabados, en una amplísima representación de todas las grandes corrientes del arte contemporáneo.

El **Museum of Television and Radio**★ (West 52nd Street, entre la 5ª y la 6ª avenida) permite el

Este florero en forma de magnolia data de 1893. Es de Tiffany.

acceso a su gigantesco archivo. Los visitantes que lo deseen podrán escuchar o ver cualquier grabación desde consolas de radio y televisión. Dispone de programas dramáticos, de actualidad, publicidad y documentales, y regularmente organiza muestras especiales en salas de proyección.

El **New York Transit Museum** (Museo del Transporte) está ubicado en Brooklyn Heights (Boerum Place/Schermerhorn Street). Se instaló, muy acertadamente, en una estación de metro de los años treinta. Allí podrá ver trenes restaurados, objetos relacionados con el transporte y recuerdos que abarcan un periodo de 80 años.

En el número 32-37 Vernon Boulevard (Queens) podrá visitar el **Isamu Noguchi Garden Museum★**, en el que se exhiben esculturas del fallecido artista americano de origen japonés. Sus trabajos se exponen en el interior del museo y en el jardín contiguo (**Sócrates Sculpture Park**), escenario asimismo de exposiciones itinerantes.

El **Queens Museum of Art** (Flushing Meadow-Corona Park) fue edificado como pabellón americano durante la Feria Mundial de 1939. Acoge diversas exposiciones. Este museo también es conocido por su maqueta de los cinco distritos de Nueva York, construida a gran escala y constantemente actualizada.

El **Whitney Museum of American Art★★** se alza en el 945 de Madison Avenue, a la altura de la calle 75. El primer edificio fue construido en Greenwich Village por la escultora Gertrude Vanderbilt Whitney, en 1931. Su colección incluye obras de artistas contemporáneos importantes, entre ellos citaremos a Alexander Calder, Jackson Pollock o Andy Warhol. Sus dependencias de Philip Morris, en el 120 Park Avenue, albergan una galería y un patio con esculturas.

Iglesias

Las iglesias de la ciudad de Nueva York no se cuentan por centenas sino por millares. Todas las

La catedral neogótica de Saint Patrick.

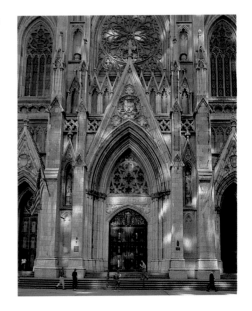

confesiones están representadas entre sus 7,5 millones de habitantes, y cada una de las religiones goza de las prerrogativas estipuladas por la ciudad.

Los católicos constituyen una de las comunidades de mayor tamaño. La mayoría de sus sacerdotes son de origen irlandés. Los fieles, por su parte, son de procedencias tan diversas que los oficios religiosos se celebran por toda la ciudad en más de una veintena de idiomas.

El gospel convierte en auténtico espectáculo los servicios religiosos de las comunidades afroamericanas. Los que visitan la ciudad suelen incluir alguno de estos oficios en su agenda, tanto es así que el «recorrido gospel» de Harlem se ha convertido en un clásico.

La comunidad judía de Nueva York es una de las más grandes del mundo. La mitad de las sinagogas de la ciudad se encuentra en Brooklyn.

Son muchas las iglesias de interés histórico o arquitectónico. **St. Patrick**★★ (en la esquina de la 5ª avenida con la calle 50) es una de las principales catedrales de la ciudad. Este templo católico, de estilo gótico francés, fue consagrado en 1879.

St. Patrick está abierta todos los días desde las 7 h hasta las 20 h 30 y ofrece visitas guiadas.

La **catedral de St. John the Divine**★★ ha sido catalogada como la catedral de estilo gótico más grande del mundo. Situada en la calle 112, a la altura de Amsterdam Avenue, tiene una longitud equivalente a la de dos campos de fútbol unidos. Su construcción comenzó en 1892 y todavía le quedan algunos retoques. Las vidrieras son magníficas. Se organizan visitas todos los días —excepto los lunes— a las 11 h (sábados a las 13 h).

La **Trinity Church**★★ es un remanso de paz en Broadway, a la altura de Wall Street. Construida en 1846, esta iglesia episcopal era el edificio más alto de Nueva York (con su aguja de 85 m) hasta que la llegada de los rascacielos la destronara. Es el tercer edificio construido para esta sede eclesiástica, cuya fundación se remonta a 1697.

St. Paul's Chapel★★ fue erigida en 1776 en Broadway, a la altura de Fulton Street. Es la iglesia más antigua de Manhattan. En su interior se encuentra todavía el banco que ocupaba George Washington, quien venía aquí a rezar durante el periodo de su presidencia.

Lugares históricos o de interés general

En 1891, **Carnegie Hall**★ abrió sus puertas en el 156 West 57th Street. Cantidades ingentes de público han acudido a esta popular sala de conciertos para disfrutar de artistas tan diversos como Chaikovski o los Beatles. El **Chrysler Building**★★★, en Lexington Avenue (a la altura de la calle 42), ocupa un lugar de excepción en el corazón de los neoyorquinos. Este

El Chrysler Building se distingue por su estilo modernista.

rascacielos de estilo modernista es conocido por su característica aguja de acero inoxidable. Su interior está dedicado a oficinas, pero el público puede deambular libremente por el vestíbulo y admirar el mármol africano de sus paredes y la madera de varios tonos que forma las puertas de los ascensores.

El **City Hall★★**, en la esquina de las calles Broadway y Murray Streets, es la sede del ayuntamiento de Nueva York desde 1812. Este elegante edificio, que además alberga un museo y una galería de retratos, está abierto todos los días de la semana.

De estilo modernista, el **Empire State Building★★★** (esquina de la calle 34 con la 5ª avenida) fue construido en 1932, y se convirtió (con sus 440 m) en el rascacielos más alto del mundo. En la actualidad ocupa el tercer puesto en altura de Estados Unidos, precedido por el Sears Roebuck Building de Chicago y las torres gemelas del World Trade Center. Disfrutará de excepcionales panorámicas de la ciudad desde el mirador interior situado en el piso 112, o desde el mirador exterior del piso 86. **Skyride**, inaugurada en 1995, es también una atracción que le transportará mediante la combinación de pantalla y butacas móviles a los lugares más conocidos de Manhattan, como Central Park, Times Square o la tienda de juguetes de FAO Schwarz. Si decide subir hasta la cima del Empire State Building le ofrecerán la posibilidad de adquirir un billete combinado que incluye la atracción a un precio especial.

Fraunces Tavern Restaurant (54 Pearl Street, a la altura de Broad Street) fue el lugar elegido por George Washington para celebrar su cena de despedida finalizada la Guerra de la Independencia. En la planta superior hay una exposición descriptiva sobre el papel desempeñado por Nueva York durante la guerra, a través de recuerdos y documentos; también aprenderá cómo la ciudad se convirtió en sede del gobierno federal durante un breve periodo.

Gracie Mansion★ (East End Avenue) es la residencia oficial del alcalde de Nueva York. El edificio, de estilo federal, domina el East River desde

Desde Macy's se ve el Empire State Building: símbolo de Nueva York y de Estados Unidos.

lo alto de Carl Schurz Park. Fue construida en 1799 por un próspero comerciante.

Grand Central Terminal★★ está ubicada en la esquina de la calle 43 con Lexington Avenue. Es una de las pocas estaciones del mundo declaradas monumento nacional. Inaugurada en 1913, esta construcción de estilo académico posee una inmensa sala central (143 m de largo) con un techo abovedado de 46 m de altura, anteriormente decorado con 2.500 estrellas. Los miércoles, a la hora del almuerzo, se organizan visitas gratuitas con guía (salen de delante del Chemical Bank, en el vestíbulo central).

El **Intrepid Sea-Air-Space Museum** está instalado en el portaaviones *Intrepid*, de 277 m de longitud, amarrado en el Hudson River (muelle 86, en 86 West 46th Street). Este museo constituye un escaparate tecnológico del desarrollo aéreo, naval y aeroespacial.

Situado en Broadway, el **Lincoln Center for the Performing Arts**★★ (Centro de las Artes Escénicas) se reparte en varios inmuebles entre las calles 62

Grand Central Terminal es un hervidero en las horas punta.

y 63. Los tres edificios principales se agrupan en una gran plaza, alrededor de una fuente. Uno de ellos, el **Metropolitan Opera House**, capta de inmediato la atención del visitante, con sus enormes pinturas murales –obra de Chagall– visibles desde el exterior. Aquí se celebran gigantescas representaciones, en un escenario del tamaño de dos campos de fútbol juntos. Comprende seis salas y auditorios donde actúan la orquesta de la New York Philharmonic y las compañías de la New York City Opera y del New York City Ballet, con una capacidad total para 13.666 espectadores. El complejo alberga además una biblioteca consagrada a la música y el Museum of the Performing Arts (Museo de las Artes Escénicas), así como el célebre conservatorio Julliard School of Music.

Madison Square Garden se extiende por encima de Pennsylvania Station, la estación de metro, en la 7ª avenida (entre las calles 31 y 33). Al parecer, se trata del centro de deportes, ocio y exposiciones más grande del mundo, con una cabida que supera los 20.000 espectadores. Es la sede de los New York

El Lincoln Center también tiene su árbol de Navidad.

Actividad febril en el New York Stock Exchange.

Knicks, equipo de baloncesto, y de los New York Rangers, equipo de hockey sobre hielo que celebra aquí sus partidos desde octubre hasta abril. También es escenario de combates internacionales de boxeo a lo largo de todo el año.

Si visita el **New York Stock Exchange★** (Bolsa de Nueva York) se le permitirá observar la actividad frenética del parqué; después de todo, resulta entretenido ver trabajar a los demás cuando uno está de vacaciones. El espectáculo es gratuito, basta con retirar un ticket a la entrada del edificio. Si decide visitarlo, deberá dirigirse al número 20 de Broad Street.

Entre las avenidas 5ª y 6ª, encontramos el **Rockefeller Center★★★**, un vasto complejo de galerías comerciales, salas de espectáculos y restaurantes. Pida un plano en el vestíbulo del G(eneral) E(lectric) Building (con sus 70 pisos, el rascacielos más alto del centro), ya sea para orientarse por el complejo o como excusa para entrar en el edificio.

En Lower Plaza, en el interior del recinto, se alza la famosa estatua de Prometeo. Aquí se puede comer al aire libre en verano, mientras que en invierno el

Pista de patinaje en medio del Rockefeller Center.

Rockefeller Center: Estatua de Atlas, en el en la 5° avenida.

53

lugar se convierte en pista de patinaje de hielo. Rockefeller Center se jacta de dar cabida a más de 30 restaurantes, entre ellos el Rainbow Room. Otro lugar de moda donde almorzar es el Fashion Café, propiedad de tres conocidas top-models (Naomi Campbell, Elle MacPherson y Claudia Schiffer).

El **Theodore Roosevelt Birthplace National Historic Site**★ es la casa natal del único presidente norteamericano nacido en Nueva York; está situada en el 28 East 20th Street, a la altura de la 5ª avenida. Roosevelt vivió en este inmueble de *brownstone* (piedra arenisca rojiza) hasta cumplir la edad de 14 años. Restaurada en la actualidad, custodia sus escritos acerca de su mandato y su experiencia como soldado y cazador.

De Fulton Street hasta llegar al Brooklyn Bridge se extiende el **Southeast Seaport Historic District**★★, a través de 11 manzanas. La entrada principal está en el Seaport Visitor Center, 19 Fulton Street. Nueva York ha sabido sacar el mejor partido posible a este típico barrio del East River, activo puerto marítimo a principios del s. XIX. El barrio ha sido rehabilitado y en la actualidad está ocupado por buques de otros tiempos, tiendas de moda, artistas ambulantes, el **South Street Seaport Museum**★★ y –su atracción principal– el *Peking*, velero de cuatro palos. En los muelles 15 y 16 encontrará anclados otros cuatro navíos antiguos que podrá visitar, entre los que destacan la goleta *Pioneer* (construida hace más de 100 años) y un vapor de 1925. También podrá visitar el puerto a bordo del *Pioneer* (dos horas de duración).

El **Staten Island Ferry**★ es una de las principales atracciones de Nueva York... ¡y todo un chollo! Por tan sólo 50 centavos le lleva a Staten Island y le trae de vuelta a Battery Park (desembarcadero de State Street). El transbordador no para en la Estatua de la Libertad, pero le permite observarla de cerca y disfrutar de panorámicas excepcionales de la ciudad. El trayecto en cada sentido dura aproximadamente 25 min.

Recientemente remozada, la **Estatua de la Libertad**★★★ reposa sobre un pedestal de

South Street Seaport, muelle 17.

aproximadamente 27 m de altura. Desde el mirador del décimo piso obtendrá espectaculares vistas de Nueva York y del puerto. Ascienda los 168 escalones de la estrecha escalera de caracol que le conducen hasta su corona. El trayecto en transbordador desde Battery Park a la Estatua de la Libertad dura alrededor de un cuarto de hora.

Los **United Nations Headquarters★★★**, en la intersección de la 1ª avenida con la calle 43, son la

sede de las Naciones Unidas. Entre otros, se incluye el
edificio de la Asamblea General, cuya sala tiene cabida
para 2.000 personas. Cuando llegue al vestíbulo
central, fíjese en la posición del gran péndulo, y
observe el tramo
recorrido cuando se
vaya. Las visitas
guiadas tienen lugar a
diario, entre las 9 h
15 y las 16 h 45, y
tienen una duración
de aproximadamente
una hora.

*Edificio de las
Naciones Unidas.*

El **Vietnam
Veterans Memorial**
está emplazado en el
barrio financiero, en
Water Street. Se trata
de un muro de
granito y de vidrio, de

20 m de altura, en el que están grabados poemas y fragmentos de los diarios personales de soldados americanos, escritos durante la Guerra de Vietnam.

El **Woolworth Building**★★★ fue el edificio más alto del mundo desde su inauguración, en 1913, hasta 1930. Situado en Broadway/Park Row, este rascacielos de estilo gótico cuenta con 60 pisos. Ha sido bautizado «la catedral del comercio», y es la sede de la Woolworth Corporation. El vestíbulo, que cubre tres pisos, es una maravilla arquitectónica: coronado por una bóveda de cañón, con paredes de mármol dorado y mosaicos de vidrio. En el vestíbulo hay bajorrelieves que caricaturizan a Frank Woolworth, al que vemos contando su fortuna en calderilla (no en vano fue el precursor de las tiendas de «todo a cien»), también vemos al arquitecto del edificio con una maqueta de la tienda a cuestas y el encargado del alquiler ocupándose de sus negocios. En sus muros se rinde homenaje a los diversos personajes que participaron en la construcción del edificio.

La Estatua de la Libertad, a la entrada de Nueva York, es sin duda uno de los monumentos más conocidos del planeta (foto superior).

Durante un periodo, el Woolworth Building fue el edificio más alto del mundo (a la derecha).

El **World Trade Center**★★ (WTC) ocupa una superficie de 6,5 ha en el barrio financiero de Manhattan. Se ha convertido en el nuevo centro financiero de Nueva York, y en él trabajan 50.000 personas. También ha pasado a ser uno de los emblemas más recientes de la ciudad: las dos torres gemelas de que se compone (con 110 pisos y 469,8 m de altura) son los rascacielos más altos de Nueva York. En el bajo se encuentran tiendas y restaurantes. El ascensor sube de forma vertiginosa, en sólo 58 segundos habrá llegado al piso 107, donde se encuentra el mirador de la Torre Dos. Una subidita más, hasta el piso 110, y llegará a la azotea, desde donde disfrutará de una panorámica espectacular de la ciudad, 400 m de altura por encima de las calles. En el piso 107 de la Torre 1 podrá disfrutar, además de la excelente panorámica, de la magnífica gastronomía del restaurante **Windows on the World**.

No muy lejos se encuentra el **World Financial Center**. Se compone de cuatro torres de altura desigual, y alberga las oficinas de compañías multinacionales. En su interior se encuentra el **Winter Garden**, un invernadero de 37 m de altura construido de cristal y acero, unido al WTC a través de un paso elevado. Todo ello se encuentra en el recinto de **Battery Park City**★, un proyecto urbanístico iniciado en los años 60, aún por terminar. Engloba bloques de oficinas además de tiendas, restaurantes y apartamentos, con capacidad para 30.000 personas.

Parques y zoos

Battery Park★ debe su nombre a la batería de cañones que, defensivamente, apuntan al mar. Se trata de un parque agradable, con césped y estatuas, además de estupendas vistas del puerto de Nueva York, de Staten Island y de la Estatua de la Libertad. Aquí se encuentra el **Castle Clinton National Monument**★, fuerte construido en 1807 para defender la ciudad de los británicos. Declarado monumento nacional en 1950, este edificio ha

La aurora tiñe las torres gemelas del World Trade Center, los rascacielos más altos de Nueva York.

servido para fines muy diversos a través de los años: transformado en 1824 en sala de conciertos, pasó a utilizarse para la recepción y selección de inmigrantes en 1855, antes de alojar –de 1896 a 1942– el New York Aquarium. El fuerte alberga actualmente un museo que narra su historia. Cerca de él se encuentra el puesto de billetes para el transbordador que va a Ellis Island y a la Estatua de la Libertad y también vende una selección de obras sobre la historia de la ciudad y sus inmigrantes.

En Battery Park los rascacielos ceden espacio a la arboleda.

El **Bronx Zoo★★★** (esquina de Bronx River Parkway con Fodham Road) ocupa 107 ha de bosque, que atraviesa el río Bronx. En este zoo están reunidas 700 especies, alojadas en la reconstrucción de sus hábitats; mencionaremos *Jungleworld* (el Mundo de la Jungla), la *Baboon Reserve* (Reserva de Babuinos), *Wild Asia* (Asia Salvaje), *African Plains* (Llanuras Africanas), *Wolf Woods* (el Bosque de los Lobos), y el *World of Darkness* (Mundo de la Oscuridad), poblado por criaturas nocturnas. El recorrido del teleférico *Skyfari* o del monocarril *Bengali Express* le permitirá observar a gran parte de estos animales. El **zoo para niños** cuenta con más de una centena de animales en su entorno natural. El zoológico organiza también exposiciones de carácter pedagógico.

El **New York Botanical Garden**★★ se encuentra justo enfrente de Fordham Road, en el Southern Boulevard. Cubre 101 ha y comprende 12 jardines exteriores, el inmenso **Enid A. Haupt Conservatory**★★ (invernadero cerrado por remodelación) y senderos para caminar. Entre sus atracciones figuran la rosaleda (*rose garden*), el valle de los rododendros (*rhododendron valley*), el jardín de rocas (*rock garden*) y 16 ha de bosque natural.

El **Brooklyn Botanic Garden**★★, situado en Washington Avenue, es famoso por su enorme rosaleda, sus cerezos en flor –que podrá ver en primavera– y su recién construido invernadero de plantas tropicales y desérticas.

Rosaleda del Brooklyn Botanic Garden.

Central Park★★★ ocupa 341 ha y se extiende
entre las calles 59 y 110. Este parque fue diseñado
por Frederick Law Olmsted y Calvert Vaux, quienes
idearon un sistema de carreteras transversales a un
nivel inferior al de los senderos que recorren el
parque, a fin de que la serenidad del entorno no se
viera perturbada por el tráfico. Las obras del
parque comenzaron en 1857 y su ejecución se
prolongó durante diecinueve años. Este lugar es
de lo más frecuentado durante todo el año,
pero no le aconsejamos su visita caída la noche.
En verano es un lugar estupendo para ir de
merienda, practicar el remo, pasear en bicicleta,
montar a caballo o jugar con la cometa.
En invierno el sitio es tomado por los patinadores y,
cuando hay suficiente nieve, se puede incluso

*Central Park: un
parque para todos
los gustos.*

esquiar o montar en trineo. El **Central Park Zoo★**, cerca de la entrada de la calle 64 (en la 5ª avenida), aloja más de 450 animales.

Delacorte es un teatro al aire libre que ofrece representaciones gratuitas de Shakespeare durante todo el verano. Cercano, el **Belvedere Castle** es la reproducción de un castillo escocés, obra de Vaux. El jardín de **Strawberry Fields**, cerca de la entrada de la West 72nd Street, se extiende por la ladera de la colina y está dedicado a la memoria de John Lennon, que fue asesinado al otro lado de la avenida, delante del edificio Dakota. Los mejores sitios para ir de merienda son el Great Lawn (Gran Césped) y el Sheep Meadow (Pradera de las Ovejas), donde pació un rebaño hasta 1934. En verano, los niños pueden escuchar cuentos delante de la estatua de Hans Christian Andersen (sábados a las 11 h). Al lado se encuentra el estanque elegido para jugar

El Boathouse Visitor Center ocupa un antiguo cobertizo de Prospect Park, en Brooklyn. Fue construido en 1905, con un edificio veneciano del s. XVI como modelo.

con las maquetas de veleros (justo al Norte de la entrada de East 72nd Street).

En la oficina de información situada en la **Dairy** (lechería), entre el zoo y el carrusel, le proporcionarán mapas e información diversa sobre Central Park.

Flushing Meadow-Corona Park está en Queens (de fácil acceso en metro) y aloja al **National Tennis Center**, donde se celebran los torneos del Open de EE.UU. Este lugar también acogió las exposiciones universales de 1939 y de 1964; todavía quedan algunos pabellones y restos de otro tipo que nos recuerdan su celebración. Aquí se ofrece la oportunidad de realizar diversas actividades: patinaje sobre hielo, paseos en bicicleta y un terreno para los amantes de las maquetas de aviones. También podrá visitar una granja destinada a los niños, un zoo, el New York Hall of Science, el Queens Museum of Art y algunas salas de espectáculos.

Situado en el Bronx, **Pelham Bay Park**, con sus 809 ha, es el parque más grande de la ciudad. Dispone de una playa de 1,5 km de longitud, así como de merenderos e instalaciones para la práctica de la equitación, el golf, la bicicleta, la pesca y el tenis.

Prospect Park★ es el orgullo de Brooklyn. Sus más de 200 ha constituyen un remanso de paz en pleno trasiego urbano. Este idílico lugar (diseñado por Olmsted y Vaux, los artífices de Central Park) cuenta con numerosos bosques, praderas, lagos y arroyos. En la Grand Army Plaza, a la entrada del parque, se alza el **Soldiers' and Sailors' Memorial Arch** (Arco Conmemorativo de los Soldados y Marines), réplica del Arco del Triunfo parisino.

En **Van Cortlandt Park** (Bronx) se puede disfrutar de gran diversidad de actividades de ocio, como el golf, el remo o el tenis. El **Van Cortlandt House Museum★** es una bella residencia colonial, construida en 1748; está ubicada detrás del *Visitor Center* del parque. George Washington se alojó en ella antes de hacer su entrada triunfal en Nueva

York, en noviembre de 1783. Restaurada con extremo cuidado, su mobiliario refleja el refinamiento y el arte de vivir de las familias influyentes de la ciudad durante los siglos XVIII y XIX.

ALREDEDOR DE MANHATTAN

No piense que los puntos de interés turístico de Nueva York se encuentran exclusivamente en Manhattan: muchos de ellos están situados en los otros distritos.

El Queensboro Bridge es uno de los puentes que comunica Manhattan con los distritos de Queens y Brooklyn, en Long Island.

En la sección dedicada a museos, parques etc. ya hemos descrito algunos de estos lugares de interés. En las páginas siguientes le ofrecemos algunos más (para los ya mencionados indicamos el número de la página en que aparecen).

El Bronx

Excepción hecha del **Yankee Stadium★**, le aconsejamos evite el Sur del Bronx, muy deteriorado por la situación de pobreza.

Bronx Zoo *(p. 60)* **y New York Botanical Garden★★** *(p. 61).*

City Island – En esta pequeña localidad, a las puertas de Manhattan, se respira un ambiente de pueblo de pescadores. Posee puertos deportivos poblados de veleros, un museo de la navegación y restaurantes cuya especialidad es el marisco. El **North Wind Undersea Museum** es una introducción al fascinante mundo submarino, en un recorrido que va desde las operaciones de salvamento de mamíferos a la recuperación de tesoros sumergidos.

Pelham Bay Park *(p. 64).*

Poe Cottage está situada en la esquina de East Kingsbridge con Grand Concourse. En este lugar pasó Edgar Allan Poe sus últimos años. Aquí escribió *Annabel Lee* y otros poemas.

Valentine-Varian House es una granja situada en 3266 Bainbridge Avenue (a la altura de la calle 208). La construyó un herrero en 1758. Actualmente es la sede del **Museum of Bronx History** (Museo de Historia del Bronx).

Van Cortlandt Park *(p. 64).*

Wave Hill (625 West 252nd Street) fue vivienda, en diferentes periodos, de Theodore Roosevelt, Arturo Toscanini y Mark Twain. Construida en 1843, posee unos terrenos cuya extensión es de 11 ha. A muchos neoyorquinos les gusta hacer una excursión de un día y disfrutar de sus jardines, invernaderos, praderas y bosques.

El **Wooodlawn Cemetery** es el cementerio en que descansan muchos americanos ilustres, entre ellos

Duke Ellington y F.W. Woolworth. En las oficinas podrá obtener un mapa desplegable donde se indica el emplazamiento de las diferentes tumbas.

El enorme **Yankee Stadium**★ (esquina de la calle 161 con River Avenue) fue una de las primeras instalaciones deportivas de Estados Unidos. Es el estadio de los New York Yankees, equipo de béisbol.

Los puentes de Brooklyn y Manhattan cruzan el East River.

Brooklyn

Sus comunidades étnicas, su arquitectura decimonónica y el número de restaurantes de calidad de que dispone –a menudo bastante más baratos que los de Manhattan– hacen de Brooklyn visita obligada. El modo de acceder a este distrito es atravesando el Brooklyn Bridge; este puente dispone de un paso elevado para peatones, por encima de la vía destinada al tráfico de vehículos, y desde el que se obtiene una vista fabulosa del East River. Brooklyn también está unido a Manhattan mediante los puentes de Williamsburg y de Manhattan. También podrá desplazarse a este distrito en coche, a través del Brooklyn Battery Tunnel, o en metro.

Brooklyn: Hilera de casas construidas con la típica piedra arenisca neoyorquina (brownstone).

Atlantic Avenue es una animada arteria y en ella se ha establecido la principal comunidad de Estados Unidos procedente de Oriente Medio. Sus restaurantes sirven cuscús y brochetas.

La **Brooklyn Academy of Music** es un conservatorio situado en el número 30 de Lafayette Avenue. El edificio alberga cuatro teatros y ofrece espectáculos de danza, de arte dramático y de música. Para saber cuál es el programa, consulte la prensa local.

Merece la pena pasear por el **Brooklyn Heights Historic District**★★. Esta barriada, formada por 40 bloques, está compuesta fundamentalmente de edificios de piedra arenisca (*brownstone*), construidos durante el s. XIX en los estilos federal y neoclásico y cuidadosamente restaurados. Recorra las pintorescas calles de esta zona, a orillas del East River, y disfrute de las espectaculares vistas de Manhattan desde lo alto de la explanada.

La **Brooklyn Historical Society** (Pierrepont Street) es una institución que aloja un pequeño museo dedicado a las proezas de la ingeniería.

Brooklyn Botanic Garden★★ *(p. 61)*

Brooklyn Museum★★ *(p. 38)*

Coney Island *(p. 74)*

En Prospect Park *(p. 64)* se encuentra **Lefferts Homestead**. Se trata de una granja de estilo colonial holandés, convertida actualmente en un museo donde se expone mobiliario de época.

New York City Transit Museum *(p. 44)*

La **Plymouth Church of the Pilgrims** (Iglesia de los Peregrinos) es una modesta iglesia construida en Orange Street, en el histórico barrio de Brooklyn Heights. Desde ella dirigió Henry Ward Beecher su campaña abolicionista. Este edificio constituía un eslabón de la cadena que, clandestinamente, permitía la evasión de esclavos de los Estados del Sur, antes de la Guerra de Secesión. Entre los fieles pertenecientes a esta parroquia figuran Abraham Lincoln y Mark Twain.

Prospect Park★ *(p.64)*

Queens

Queens es el distrito neoyorquino de mayor tamaño, y sus habitantes pertenecen a etnias muy diferentes. En Astoria reside la comunidad de emigrantes griegos más numerosa, Forest Hill acoge el barrio judío ruso y Jackson Heights alberga orgullosa a las comunidades india y latinoamericana. A Flushing también se le conoce con el apodo de Little Asia (Pequeña Asia) y Corona Avenue es un asentamiento italiano. En el barrio de Jamaica viven muchos profesionales liberales de raza negra.

Dos de los tres aeropuertos pertenecientes a Nueva York (el John F. Kennedy y La Guardia) están situados en Queens.

American Museum of the Moving Image★ *(p. 37)*

Bowne House, construida en 1661, fue la residencia del cuáquero John Bowne, que luchó (y consiguió) la libertad de culto en el periodo de ocupación holandesa. Esta casa es actualmente un museo.

Flushing Meadow-Corona Park *(p.64)*

Isamu Noguchi Garden Museum★ *(p. 44)*

El **Jamaica Arts Center** ocupa un edificio de estilo «italianizante», construido en 1898. Situado en el número 161-04 de Jamaica Avenue, alberga un centro politécnico dedicado a las artes plásticas y escénicas.

El **Jamaica Bay Wildlife Refuge** es una inmensa reserva natural a orillas del mar. Es el hogar de unas 300 especies de pájaros, así como de diversos especímenes de la fauna y flora que podrá admirar al tiempo que practica el senderismo.

La **Kingsland House** es una residencia que data de aproximadamente el año 1785. Está ubicada en el 143-35 de la calle 37, y es administrada por la Queens Historical Society. La visita es gratuita.

El **New York Hall of Science** es un museo de la ciencia situado en el Flushing Meadow-Corona Park. El sorprendente edificio fue construido para la Feria Internacional de 1964. En el exterior se exponen objetos relacionados con el avance científico y tecnológico, entre ellos la cápsula Gemini y otros elementos de la conquista del espacio.

Queens Museum of Art *(p. 44)*

Staten Island

La inauguración, en 1964, del Puente Verrazano-Narrows ha originado la creación de barrios residenciales y su crecimiento. No obstante, el interior de Staten Island ha conservado su carácter bucólico. La mejor forma de desplazarse a la isla es mediante el transbordador de Staten Island.

La **Alice Austen House** es una casa de campo desde la que se contempla una vista magnífica del puerto. En ella se expone una colección de fotografías de Alice Austen consagradas a Staten Island y sus habitantes.

En **Conference House** tuvieron lugar, al principio de la Guerra de la Independencia, las infructuosas negociaciones entre Benjamin Franklin, John Adams y el almirante británico Lord Howe. Situada en el 7455 Hylan Boulevard, esta casa de campo fue construida con obra de sillería en 1675.

El **Historic Richmond Town**★ es un pueblo histórico compuesto por 29 edificios completamente restaurados. Su visita le llevara varias horas. De las escuelas de antaño que han llegado a nuestros días, Voorlezer's House –construida en 1695 bajo la administración británica– es la más antigua. El museo, sede de la Staten Island Historical Society, es un recorrido por los tres siglos de historia de la isla. Los visitantes pueden charlar con guías ataviados con trajes de época, mientras que otros empleados se dedican a desarrollar actividades ya desaparecidas o realizan demostraciones de trabajos tradicionales de artesanía. A lo largo del año se programan diversas actividades. Al bajar del transbordador podrá coger el autobús que le conduce hasta allí.

El **Jacques Marchais Center of Tibetain Art**★ (338 Lighthouse Avenue) es la reconstrucción de un templo budista, y acoge un museo de arte tibetano. Posee una excelente colección de obras de arte y de objetos tibetanos. Ocasionalmente, monjes vestidos con hábito de color azafrán desarrollan aquí sus celebraciones.

El **Snug Harbor Cultural Center** (1000 Richmond Terrace) está formado por una treintena de edificios que se reparten por una superficie de 33 ha y cuyos estilos abarcan diversos periodos de la arquitectura americana. Este majestuoso grupo de edificios, convertido en centro cultural del municipio en 1976, estaba ocupado antiguamente por un hospital y un asilo de ancianos para marineros.

Aquí se organizan regularmente espectáculos de ópera, de música clásica y de jazz, además de exposiciones de pintura, escultura y fotografía.

El **William T. Davis Wildlife Refuge** es un biótopo con una extensión de 105 ha en el que se puede observar una amplia variedad de mamíferos, pájaros y reptiles, así como una abundante flora. Ocupa una zona pantanosa sometida a las influencias marinas, y posee praderas, bosques y pantanos de agua dulce.

SALIDAS EN FAMILIA

Nueva York ofrece una variadísima oferta de ocio para la familia. A continuación ofrecemos algunas sugerencias:

American Museum of Natural History★★★ - Museo Americano de Historia Natural (*p. 26, 37*).

Bronx Zoo★★★ (*p. 60*).

Central Park★★★ (*p. 62*)

Children's Museum of Manhattan - Museo de los Niños (*p. 39*)

Uno de los destinos que a menudo se pasa por alto es **Coney Island**, en Brooklyn; recuerde que aquí encontrará numerosas y divertidas actividades de ocio: **Astroland** es un parque de atracciones cuyo plato fuerte es el Cyclone (una montaña rusa –mejor dicho: una cadena montañosa– que le quitará el hipo); el **New York Aquarium**★★ alberga millares de peces exóticos y presenta espectáculos con leones marinos, delfines y marsopas.

El **Discovery Center** (*Ver* Brooklyn Botanic Garden, *p. 61*)

En el número 85 de la calle Mercer, en SoHo, se encuentra **The Enchanted Forest** (El Bosque Encantado), una tienda temática que ofrece juguetes fabricados a mano, manualidades y libros para niños.

Fundada en 1862, **FAO Schwarz** es una tienda cuyos dependientes, disfrazados, ponen a su disposición una increíble variedad de juguetes y juegos. La encontrará en el 767 de la 5ª avenida, a la altura de la calle 58.

Hayden Planetarium (*p.38*)

El **Intrepid Sea-Air-Space Museum** es un museo flotante que se ocupa de la historia bélica y de la tecnología aplicada a la guerra en tierra, mar y aire. Está instalado en el portaaviones *Intrepid*, amarrado

Woolman Ice Skating Rink, en la parte Sur de Central Park, punto de encuentro de patinadores.

en el muelle 86, a la altura de la calle West 46 y de la avenida 12.

El **Roosevelt Island Aerial Tramway** le ofrece la posibilidad de hacer una excursión original y divertida. Este tranvía atraviesa el East River de Manhattan para llegar a la ciudad de Long Island, en Queens; en su recorrido pasa por encima de una isleta situada más allá del Upper East Side. La estación donde se coge está a la altura de la calle 60 y de la 2ª avenida. Los coches rojos del tranvía han aparecido en bastantes películas, por ejemplo en *El tesoro de Curly* y *King Kong*.

South Street Seaport Historic District★★ *(p.54)*

ALREDEDORES

A veces sienta bien olvidarse un poco de la ciudad.
Por si tuviera ganas de descubrir los alrededores de
Nueva York −o de darse un respiro− le ofrecemos
en las páginas siguientes una selección de playas
(auténtico refugio de los neoyorquinos desde finales
de mayo hasta principios de septiembre) y lugares de
interés fuera de la ciudad.

Playas

Es fácil llegar a una playa desde Manhattan. El
metro le llevará a las playas más cercanas, pero los
fines de semana están abarrotadas.

Sin duda, la playa más conocida es la **Coney
Island Beach**, en Brooklyn; se convirtió en la playa
de moda en la década de 1840 y mantuvo ese
privilegio durante algunas décadas. No obstante,
llegados los años cincuenta perdió los favores del
público. Se respira un ambiente decadente: las
montañas rusas y los tiovivos parecen cansados, las
casetas y las atracciones son un poco pobres; sin
embargo, sus 4,8 km de playa le permiten la práctica
del *surf*, lo cual siempre es agradable, y podrá
degustar uno de los apetitosos perritos calientes que
preparan los numerosos vendedores ambulantes.

La **Brighton Beach** se encuentra en el mismo lado
que Coney Island, que dejó de ser isla para
convertirse en península. Durante los años setenta,
con motivo de la mejora de las relaciones entre
Estados Unidos y la Unión Soviética, 30.000 rusos
inmigraron y se establecieron en esta zona,
transformándola con su presencia. Aquí podrá
comprar muñecas rusas, beber vodka y comer *blinis*
al son de la balalaica y el acordeón. Los
neoyorquinos llaman a la playa de Brighton «la
pequeña Odesa».

Otra playa a la que podrá desplazarse en metro es
Rockaway Beach★, en Queens. Se trata de una
estrecha lengua de tierra, con más de 11 km de
arena, entre el océano Atlántico y Jamaica Bay.

En Coney Island disfrutará a la vez de playa y de parque de atracciones.

Pasado el límite oriental de la ciudad de Nueva York, **Long Island**★★ ofrece kilómetros de excelentes arenas de playa, con senderos, restaurantes, merenderos y otras instalaciones. Podrá llegar en tren a numerosas playas, entre ellas **Long Beach** y **Jones Beach State Park**★★. Hay salidas regulares desde Penn Station, en Manhattan.

Jones Beach, situada en un parque de 1000 ha, está orgullosa de sus 10 km de playa de arena y de sus 3 km de malecones. Dispone, entre otras instalaciones, de una piscina y un campo de golf. Los conciertos estivales al aire libre atraen mucho público.

Algunas de las playas de Long Island están reservadas para residentes, pero la mayoría son de libre acceso (diez de ellas forman parte de parques naturales). En verano se cobra entrada.

Una de las playas más famosas de Nueva York es la de **Fire Island**. La forman 566 ha de **National Seashore**★ (Litoral Nacional) y tiene una longitud de 51 km; su anchura varía entre los 183 y los 800 m. Está prohibido el acceso de vehículos, pero

El faro de Montauk Point, en Long Island.

podrá llegar en transbordador. La parte Oeste de la isla ha sido bautizada como **Robert Moses State Park**. Esta zona está comunicada con el resto de Long Island mediante una carretera, lo que significa que es accesible en coche. Durante el verano funciona un servicio de autobús desde la Port Authority Terminal (salida temprano por la mañana, vuelta al final de la tarde). Es una playa de dunas, prácticamente sin sombra, pero agradable y limpia. Las dunas ofrecen refugio a las aves marinas y acuáticas.

Fuera de la ciudad

Si se aleja un poco más de la ciudad, encontrará que son numerosos los lugares donde merece la pena pasar dos o tres días (o sólo uno si su estancia no es muy prolongada). Ya en tren ya en autobús podrá llegar fácilmente a Long Island o a Connecticut; al Norte, el delicioso paisaje del valle del Hudson dista también pocos kilómetros.

Si quiere ir más lejos, Boston —en el estado de Massachusetts— sólo está a 346 km hacia el Norte. Para llegar a las cataratas del Niágara, sin embargo, tendrá que hacer 724 km de carretera, aunque en avión se llega en tan sólo una hora.

Long Island★★

Al Este de la ciudad, Long Island siempre ha ejercido especial atracción para los neoyorquinos. De hecho, muchos empleados de la ciudad se desplazan a diario desde la isla hasta la estación de Penn, pues el servicio ferroviario es excelente. De Manhattan a Long Island sólo median 24 km, y Montauk, en el otro extremo de la isla, está sólo 190 km más lejos, lo que se traduce en un trayecto de aproximadamente tres horas. Su litoral arenoso protege verdes paisajes y pueblos pintorescos, muchos de los cuales se remontan a mediados del s. XVII.

En su extremo oriental, la isla se divide en North Fork y South Fork, ambas comunicadas por ferrocarril. North Fork está menos poblada y su paisaje es más agreste. En **Orient Point** se encuentra un parque regional (**state park**), desde donde también se puede coger un transbordador (con capacidad para vehículos) rumbo a New London, en Connecticut. En South Fork se encuentran los **Hamptons**, tres pequeñas comunidades residenciales de mucho copete, así como Amagansett y un antiguo puerto ballenero, Sag Harbor.

Long Island ofrece numerosos atractivos para los amantes de las actividades al aire libre. Desde Montauk (en la punta Este de South Fork) salen embarcaciones que le llevarán a alta mar para que pueda observar a las ballenas o a las focas (**whale-**

watching cruises). También podrá caminar hasta los lugares donde se ven focas o montar a caballo por la playa. Los aficionados a los deportes náuticos podrán concederse una salida en canoa, kayac o velero, o incluso en tabla de *surf* o de esquí acuático, hacer submarinismo con botellas o con tubo respirador (*snorkel*). Si lo suyo es la pesca, en todos los puertos encontrará barcos que le llevarán a alta mar.

Los apasionados de la historia encontrarán museos sobre la pesca de la ballena (**whaling museums**) en Cold Spring Harbor y Sag Harbor, el **Vanderbilt Museum★** en Centerport, el museo **Cradle of Aviation** (Cuna de la Aviación) en Mitchell Field y en Huntington, la casa-museo donde nació Walt Whitman (**birthplace of Walt Whitman**).

En Oyster Bay descubrirá el **Sagamore Hill National Historical Site★**: casa de campo del presidente Theodore Roosevelt. Ha sido restaurada y declarada monumento histórico nacional. **Stony Brook★★**, en la costa septentrional, es un típico pueblo de estilo federal (siglos XVIII y XIX). Allí encontrará numerosos museos que harán de su visita

Old Bethpage Restoration Village (en Long Island): ¡Y quién dice que Nueva York no tiene pasado!

una experiencia enriquecedora. En **Old Bethpage Restoration Village**★★ puede ver una comunidad agrícola que aún funciona como antes de la Guerra de Secesión. Se transportaron hasta allí veinticinco edificios históricos. También podrá ver artesanos realizando sus trabajos.

Si le apetece hacerse una idea de cómo se vivía durante los locos años veinte, visite alguna de las muchas residencias de época de la Gold Coast (la Costa Norte), **Gold Coast Mansions**, que abren al público. Situadas frente al estrecho de Long Island, estas residencias pertenecían a las grandes fortunas, cuyo tren de vida F. Scott Fitzgerald describe magistralmente en *El gran Gatsby*.

Hudson River Valley★★★. En poco tiempo habrá dejado Nueva York atrás si remonta el río Hudson hacia el Norte, bien por carretera bien en tren o incluso por el mismo río, posibilidad que ofrecen los transbordadores de la Day Line.

Tarrytown se encuentra a tan sólo 32 km de Manhattan. Fue aquí donde Washington Irving encontró la inspiración para *La leyenda de Sleepy Hollow*. El creador de *Rip Van Winkle* fijó su residencia en **Sunnyside**★, muy cerca de allí; se trata de una casa encantadora a orillas del río (abierta al público).

Hay otras dos residencias en Tarrytown que admiten visitas: **Lyndhurst**★, de estilo neogótico, ofrece sorprendentes vistas del Hudson; **Philipsburgh Manor and Mill**★, construida en el s. XVII por colonos holandeses, ha sido restaurada.

Más al Norte, en **Hyde Park**, justo pasado Poughkeepsie, se encuentra la casa natal de Franklin Delano Roosevelt. Esta residencia ha sido declarada monumento histórico nacional. La exposición informa de la vida de Roosevelt y su familia. Su cuerpo y el de su esposa, igualmente célebre, reposan en la antigua rosaleda de Hyde Park. En la otra orilla, hacia el Sur, se encuentra **West Point**★★, sede de la famosa academia militar americana. La academia abre al público a diario y dispone de un museo y de una oficina de recepción para los visitantes.

CLIMA

En Nueva York los inviernos son muy duros, y los veranos sofocantes. Las mejores estaciones para visitar Nueva York son la primavera y el otoño, cuando las temperaturas son más suaves. Pero incluso en estos periodos pueden producirse lluvias torrenciales y, de abril a octubre, el índice de polen puede ser muy elevado.

Los días de invierno a veces son magníficos: el azul límpido del cielo compensa el frío glacial. En cuanto empieza a nevar, los neoyorquinos se dan cita en Central Park, donde gustan de esquiar o montar en trineo, especialmente en el Pilgrim Hill (en el East Side).

Las temperaturas estivales alcanzan a menudo los 32 °C, a veces incluso los sobrepasan. Además, el nivel de humedad es muy elevado, especialmente en julio y agosto.

No hay que esperar al buen tiempo para disfrutar de Central Park.

FIESTAS POPULARES

Nueva York se visite de fiesta todo el año.

Enero-febrero

A finales de enero se celebra el **Chinese New Year** (Año Nuevo chino) con un desfile y fuegos artificiales en Chinatown. La fecha varía, pues corresponde a la primera luna llena después del 19 de enero.

A principios de febrero tiene lugar la **Empire State Building Run Up** (subida del Empire State Building): se trata de una carrera hasta el piso 86 para los que tienen ganas de poner a prueba su resistencia física.

En febrero se festeja el **Black History Month** (el mes de la historia de los negros): conmemoración de la herencia afroamericana. Se celebra en diferentes partes de la ciudad.

Marzo-abril

El 17 de marzo es el día de la **St. Patrick's Day Parade** (Desfile de San Patricio), celebración del festival irlandés. La 5ᵃ avenida se viste de gala con una banda verde que la recorre de arriba a abajo. Esta fiesta entusiasma por igual a irlandeses y no irlandeses.

A finales de marzo o principios de abril tiene lugar la **Easter Parade** (Desfile del Domingo de Resurrección): Los neoyorquinos desfilan con disfraces primaverales por la 5ᵃ avenida, desde la calle 48 a la 86.

Mayo-junio

A mediados de mayo se organiza la **Martin Luther King Jr Day Parade**: un homenaje al defensor de los derechos cívicos. El desfile recorre la 5ᵃ avenida, desde la calle 44 a la 86.

A finales de mayo, (cae en domingo), unas 30.000 personas participan en el **AIDS Walk New York** (Marcha del Sida), a fin de recaudar fondos para ayudar a las víctimas del sida. El itinerario es de 10 km y el punto de partida es el *Great Lawn* (gran pradera de césped) del Central Park.

A finales de mayo y principios de junio es cuando tiene lugar la **Washington Square Outdoor Art Exhibit** (exposición de arte al aire libre).

En Greenwich se organiza una feria de arte donde unos 300 artistas exponen sus obras (y las ponen a la venta) durante cinco días.

El primer domingo de junio le toca el turno a Puerto Rico. La 5ª avenida se llena de charangas y carrozas durante la **Puerto Rican Day Parade**.

A mediados de junio Little Italy es el escenario del **Festival of St. Anthony of Padua**, con una duración de casi dos semanas.

A finales de junio se celebra la **Gay Pride March** (Manifestación del Día del Orgullo Gay). El recorrido va desde Columbus Cicle hasta Greenwich Village.

Julio-agosto

Julio es el mes del **Independence Day**. Macy's, unos grandes almacenes, patrocina impresionantes fuegos artificiales en el Hudson River.

Julio-agosto es la ocasión de disfrutar gratuitamente de los conciertos de la Filarmónica de Nueva York: los **Free New York Philharmonic concerts**. Se celebran en Central Park y en otros grandes parques.

En julio y agosto también se programan las jornadas **Shakespeare in the Park**. La entrada a los espectáculos de Central Park es gratuita, pero recuerde que el primero que llega es el que se lleva la plaza. Por eso conviene presentarse con bastante antelación y estar dispuesto a emplear buena parte del día en la espera; justo delante del teatro hay un espacio arbolado, ideal para merendar mientras se pasa el rato.

De principios a mediados agosto se celebra la **Harlem Week**. Se trata de un festival hispano y afroamericano con celebraciones diversas.

Septiembre-octubre

El primer lunes de septiembre es el **Labor day**. En Brooklyn se celebra un carnaval con música caribeña.

A mediados de septiembre se suceden 11 días de festejos en Little Italy: es la **Feast of St. Gennaro**.

Entre septiembre y octubre se celebra anualmente el **New York Film Festival**. La cita es el Lincoln Center, y la programación se extiende a lo largo de tres semanas.

El segundo lunes de octubre tiene lugar la
Columbus Day Parade, en la 5ª avenida.

El 31 de octubre, con motivo de la festividad de
Todos los Santos, se celebra la **Halloween Parade**:
hay desfiles en Greenwich Village, en Broadway y de
Spring Street a Union Square.

Independence Day
*se celebra por todo
lo alto.*

Noviembre-diciembre

El primer domingo de noviembre es el día elegido para el **New York City Marathon**. El punto de salida es Staten Island; 20.000 corredores tienen como meta el restaurante Tavern on the Green, en Central Park (West Side).

El cuarto jueves de noviembre tiene lugar la **Macy's Thanksgiving Day Parade**.

A principios de diciembre se instala el árbol de Navidad del Rockefeller Center: **Lighting of Christmas Tree**.

El 31 de diciembre se recibe al Año Nuevo (**New Year's Eve**) en Times Square.

El Rockefeller Center se viste para la Navidad.

COMER EN NUEVA YORK

Nueva York es famosa por la cantidad de restaurantes que posee –más de 17.000– y por la extremada variedad de su cocina. Los neoyorquinos son exigentes en lo que a cocina se refiere, y estos locales deben hacer grandes esfuerzos no sólo para forjarse una reputación, sino también para mantenerla. Por vez primera desde principios de los ochenta el coste medio de una comida ha caído por debajo de los 30 dólares. También podrá tomar un menú consistente por una cantidad inferior de dinero, y es evidente que también por un precio mucho más caro.

A muchos neoyorquinos les gusta comer fuera más de una vez por semana, y eligen el restaurante no sólo por la calidad de su cocina, sino también por la creatividad del chef, la suntuosidad del local y la rapidez y profesionalidad del servicio. Los establecimientos más modestos –cafeterías, grill-rooms, steakhouses y noodle shops (restaurantes cuya especialidad es la pasta china)– se caracterizan por su ambiente relajado y además ofrecen un servicio rápido y cordial.

Podrá disfrutar de una comida al mismo tiempo que practica uno de los deportes favoritos de los neoyorquinos: observar a la gente que pasa. Son muchos los restaurantes, bares y cafés que

Café al aire libre en el Rockefeller Center.

disponen de terrazas acristaladas, y en verano proliferan las terrazas al aire libre. Podrá encontrarlas tanto en los rincones más inesperados como en los lugares de moda; un ejemplo sería Nadine's, en Greenwich Village, donde a veces acuden artistas famosos, como Michelle Pfeiffer, Martina Navratilova o Robert de Niro.

¿Un alto para un bocado? Nueva York se lo pone fácil.

Robert de Niro es uno de los copropietarios de Planet Hollywood, en el 140 de la West 57th Street. Está decorado con numerosos recuerdos del mundo del cine, y en él podrá degustar una amplia selección de platos americanos tradicionales y nutritivos a un precio módico.

Los restaurantes temáticos, como el Hard Rock Cafe (221 de la West 57th Street), hacen más hincapié en el ruido de fondo que en la comida, pero es una forma más de crear un ambiente.

Si lo que desea es probar la cocina de regiones lejanas, Nueva York es el lugar adecuado. En esta

*El Hard Rock Café es
el restaurante del
melómano.*

ciudad encontrará platos auténticos de cada una de
las comunidades afincadas en Estados Unidos. Aquí
está representada la gastronomía popular del mundo
entero, podrá saborear entre otras las especialidades
afganas, birmanas, tibetanas, vietnamitas etc. La
cocina china traspasa los límites de Chinatown, pero
es allí donde hay que probarla. Podrá saciar su apetito
gracias a las generosas sopas de **Mee Noodle Shops**,
en la 1ª, 2ª y 9ª avenidas. Por lo que se refiere a la
cocina italiana, la ciudad en conjunto cuenta con
alrededor de 350 restaurantes, para todos los bolsillos.

En la zona donde se congregan los locales destinados al espectáculo (a partir de la West 40th Street) usted dispone de más de 70 sitios donde tomar algo antes, después, o durante la función. En algunos lugares podrá incluso ver a algunos actores durante el entreacto.

Comida rápida

Cuando no se dispone de mucho tiempo y se quiere gastar poco es posible tomar un bocado sin renunciar por ello a la calidad. La comida rápida puede consumirse en el mismo sitio en que se compra, aunque quizá prefiera llevársela al hotel, o ¿por qué no? sentarse a degustarla en Central Park o en las escaleras de la biblioteca de la 5ª avenida. Los neoyorquinos han sabido hacer de esta costumbre todo un arte. Bajo el término «comida rápida» se incluye una sorprendente variedad de platos. Los locales más extendidos de este tipo de cocina son las **pizza parlors** (pizzerías), donde le servirán una porción de la variedad que usted elija o incluso una *garbage pie* (pizza surtida, de varias clases) para llevar. El reclamo, muchas veces, consiste en convencer al cliente de que la pizza que se vende es la «auténtica» o la «mejor de la ciudad», y lo cierto es que cada negocio tiene sus adeptos, que a menudo recorren distancias considerables para consumir una porción de su pizza favorita.

Las **hamburgueserías** son también muy numerosas. Tendrá en su mesa la hamburguesa elegida en menos que canta un gallo: con patatas fritas, guarnición variada y una bebida. Los **bares de bagels** (panecillos en forma de rosca) se han extendido por toda la ciudad. Elija la variedad que le apetezca (con sésamo, ajo o cebolla) para tomarla tal cual o rellena de queso blanco o salmón ahumado y acompañada, si lo desea, de una ensalada.

En esta exploración de la oferta gastronómica de Nueva York no pase por alto los **delicatessen**,

locales cuya oferta a menudo es dictada por el
origen del propietario. Lo habitual es encontrar
fiambre y quesos de buena calidad, que se venden al
peso. En todos se venden sandwiches, ensaladas
variadas y bollería. La pasta de los «delis» italianos
es de ensueño, y en los «delis kosher» (judíos)
encontrará auténticos *pickles* neoyorquinos
(especialidad de verduras adobadas en vinagre),
carnes especiales y, por supuesto, ensaladas con
aceitunas y pasteles típicos.

Los **coffee shops** (cafeterías) sirven con rapidez
sabrosos platos que podrá degustar cómodamente
instalado: hamburguesas, sándwiches de beicon,
lechuga y tomate (BLT) de dimensiones gigantescas,
sándwiches de queso fundido, huevos al gusto
(escalfados, revueltos o fritos), y descomunales
ensaladas de lo más sabrosas. Cocina rápida, sí, pero
suculenta.

En cualquier esquina encontrará comerciantes que
venden **pretzels** (panecillos salados) y refrescos;
estos puestos le vendrán que ni pintados, en su

*¡No se vaya de la
ciudad sin haber
probado sus
deliciosos pretzels!*

continuo ir de acá para allá. Por último, no podíamos concluir este apartado sin mencionar los perritos calientes (**hot dogs**), décadas de tradición mantenida por vendedores ambulantes y locales especializados.

Para aplacar la sed

Los bares, pubs y tabernas de la ciudad se cuentan por centenares, y muchos de ellos son conocidos no sólo por sus bebidas, sino también por su cocina, modesta pero de calidad. Entre los locales instalados de firme en el circuito turístico figuran **McSorley's Old Ale House** (bar irlandés del East Village que data de 1854) y el **White Horse Tavern**, (en Hudson Street, donde el poeta galés Dylan Thomas tomó su última copa).

Los **brewpubs** son un fenómeno cada vez más generalizado. Se trata de locales de ambiente agradable en los que se sirve cerveza fabricada por la casa.

COMPRAS

El mejor sitio para ir de compras es la zona de Manhattan, pues es el *borough* que cuenta con una mayor variedad. Pocas tiendas abren antes de las 10 h, algunas incluso esperan a mediodía, especialmente en Chelsea y Greenwich Village. Así que tómese tiempo para planificar su itinerario y desayunar como es debido.

La mayoría de los turistas que no conciben estar en Nueva York y no ir de compras se congregan en la **Fifth avenue**.

Tiffany & Co.: Merece la pena ir aunque sólo sea por ver el escaparate.

La alta costura también se ha hecho sitio en Nueva York.

Aquí están todos: Tiffany's, Saks, Cartier, Gucci, Elizabeth Arden...

Deambule un rato por **Trump Tower**★ (entre las calles 56 y 57) y admire la elegancia de sus tiendas, embellecidas con mármol italiano y cascadas artificiales. Michael Jackson y Lisa Marie Presley eligieron un apartamento de superlujo en lo alto de la torre para pasar su luna de miel.

Oshkosh B'Gosh (en la calle 47) ofrece ropa práctica y alegre, de tejidos resistentes, que agrada a padres e hijos. En un principio esta empresa fabricaba petos para granjeros y ferroviarios. La ropa que venden apenas se desgasta, por lo que suele pasar de un niño a otro en perfectas condiciones.

Más adelante, encontramos **Lord and Taylor** (en la 5ª avenida, a la altura de la calle 38), que presume de su exquisito servicio, con un toque europeo. Al Este de la 5ª avenida, pero esta vez en Uptown, **Madison Avenue** dispone de tiendas especializadas y tiendas de alta costura, donde se exponen artículos

Bloomingdale's: tan neoyorquino como la Estatua de la Libertad.

91

Macy's no conoce el término medio, sobre todo cuando se trata de la decoración navideña.

de Givenchy, Yves Saint-Laurent, Sonia Rykiel y muchos otros.

Más al Este se alzan los almacenes **Bloomingdale's** (Lexington Avenue, entre las calles 59 y 60), conocidos en el mundo entero. Para muchos constituyen el símbolo de Nueva York. Allí encontrará una gran selección de artículos, especialmente ropa de caballero, señora y niños. También cuenta en su interior con tiendas que ofrecen importaciones de grandes modistos, como Valentino. El personal, que habla más de 35 idiomas, le ayudará a realizar sus compras; el servicio gratuito de entrega le llevará los artículos hasta el hotel.

La Lower Fifth Avenue (entre las calles 14 y 23) se ha convertido en uno de los principales centros comerciales. Los neoyorquinos frecuentan esta zona de Chelsea para hacer sus compras. El barrio ha sido renovado recientemente, y grandes nombres de la moda (como Armani) han abierto tienda.

Macy's ocupa un bloque entero en Broadway, a la altura de la calle 34 (al Norte de Chelsea). Es «el almacén más grande del mundo», dividido en acogedoras tiendas. Se encuentra de casi todo.

Justo al Sur de Macy's (en la esquina de la calle 33ª con la 6ª avenida) se encuentra el antiguo A&S Plaza. Stern ha sustituido a los grandes almacenes A&S, pero este centro –conocido ahora bajo el nombre de **Manhattan Mall**–, alberga aún un centenar de tiendas. Si su estancia es breve, éste es el lugar ideal para hacer sus compras debido a su tamaño.

No sólo ropa

Las sinuosas calles de **Greenwich Village**, con sus anticuarios, tiendas de juguetes y de ropa original, le confieren un encanto muy especial. El **SoHo**★★, antaño ocupado por almacenes abandonados, se ha transformado en una zona muy frecuentada gracias a sus tiendas de arte y de moda.

Los amantes de los libros descubrirán en Nueva York su paraíso. Busque las librerías de la cadena

Barnes and Noble. Encontrará también una increíble cantidad de librerías de menor tamaño, algunas especializadas, donde se venden libros nuevos y viejos.

En Rockefeller Plaza se encuentra la **Electronic Boutique**, famosa por su departamento de informática y la profesionalidad de sus dependientes. **Comp USA** (136 E. calle 57) posee existencias de más de 5.000 elementos informáticos. Para regalos bonitos y poco vistos, dése una vuelta por el **New York Exchange for Woman's Work**, donde se ofrece una salida a las mujeres necesitadas trabajando en la fabricación de juguetes y ropa para niños. Esta «bolsa» o «exchange» está situada en el 149 E. 60th St, entre Lexington Avenue y la 3ª avenida.

Las tiendas de la **UNICEF** venden regalos y tarjetas postales como forma de recaudar dinero para ayudar a los niños de países pobres. Las encontrará en el 3 United Nations Plaza (en la esquina de la 1ª avenida con la calle 44), así como en el UN Building, el UN Counter y en la Universidad de Columbia (3074 Broadway, en la calle 122).

Los apasionados de la fotografía no deben perderse **B & H Photo** (en el 420 de la 9ª avenida, ℭ 212/444-6600), un almacén repleto de cámaras y accesorios. Los precios son competitivos, y el personal, además de servicial, habla varios idiomas.

Aunque su clientela se compone fundamentalmente de músicos profesionales, **Manny's Music** (156 de la West 48th Street, a la altura de la 7ª avenida; también 1600 Broadway) atrae a amantes de la música de toda condición. Fundada hace más de 60 años, en sus paredes cuelgan más de 3.000 fotografías de clientes famosos, entre los cuales mencionaremos a los Beatles y Jimmy Hendrix, y –quién sabe– quizá se encuentre cara a cara con grupos de fama mundial, como U2.

Gangas a gogó

A los neoyorquinos les encantan las gangas, y éstas se encuentran por toda la ciudad. **Orchard Street★**, en el Lower East Side, es una auténtica cueva de Aladino a rebosar de ropa a precio reducido.

Algunas tiendas cierran los viernes por la tarde y todo el día del sábado, a cambio, abren el domingo. Encontrará pieles y artículos de marca en el **Garment District** (Barrio de la Ropa), en la 7ª avenida, entre la calle 20 y la 40. Localice los carteles que avisan de venta pública en las salas de exposición de los fabricantes.

La mayor selección de vaqueros Levi's se encuentra en **Canal Jean and Co**, (504 Broadway, entre las calles Broome y Spring), donde se les aplica un descuento.

Encontrará lectores de CD, vídeos y equipo electrónico diverso (a un precio sin competencia) en las sucursales de WIZ, una tienda neoyorquina donde la haya.

Después de las compras viene la vida nocturna.

ESPECTÁCULOS Y VIDA NOCTURNA

Nueva York es la capital mundial del espectáculo: danza, conciertos, ópera, jazz, rock, comedias musicales, películas, teatro, clubs y cabarets, en continuo proceso de cambio. Si Nueva York no se lo ofrece, no lo encontrará en ninguna parte.

La mejor fuente de información sobre la cartelera la ofrecen varias publicaciones: el *New York Times* (sobre todo la interminable edición del viernes), *New York Magazine, The Village Voice, Time Out New York y Where New York*; seguramente tendrá un ejemplar en la habitación de su hotel. El New York Convention and Visitors Bureau (Oficina de Turismo de Nueva York) distribuye gratuitamente programas de actividades y el **Broadway Theater Guide**.

Ballet y danza

Los amantes del ballet y los aficionados a la danza moderna encontrarán en Nueva York la tierra prometida. A lo largo de todo el año actúan en esta ciudad al menos una docena de compañías de calidad reconocida. Entre las salas de espectáculo famosas, el Lincoln Center for the Performing Arts acoge numerosas compañías de teatro, danza y música. Un sinnúmero de espectadores acude dada la diversidad de espectáculos en cartel.

De mayo a julio, el **American Ballet Theater** presenta un repertorio de obras clásicas y de ballets contemporáneos en el Metropolitan Opera House, perteneciente al Lincoln Center. El New York State Theater, también en el Lincoln Center, es sede del **New York City Ballet**, compañía compuesta por más de una centena de bailarines que presentan sus coreografías de noviembre a enero y de abril a junio.

Cinco compañías tienen sede permanente en el **City Center**, 130 de la West 56th Street, que acoge también a artistas de paso. Estas compañías son la Alvin Ailey Dance Theater, las compañía de Paul Taylor, el Geoffrey Ballet y la Danse Theater of

Harlem. Además, artistas jóvenes de la Merce Cunningham Company representan obras modernas en el Merce Cunningham Dance Studio, situado en el 55 de Bethune Street.

Carnegie Hall es una de las salas de conciertos más famosas de Nueva York.

Cabaret

En Nueva York, el cabaret se divide en dos categorías: el de alta categoría (en Uptown: con esmóquines, vestidos escotados y cócteles *art déco*) y el de categoría inferior (estilo Downtown, casi de karaoke, en los que el público participa y donde los solistas son acompañados por frenéticos pianistas).

El **Oak Room**, en el Hotel Algonquin (59 West 44th Street), era lugar de encuentro de la intelectualidad neoyorquina en los tiempos de Dorothy Parker, James Thurber y sus compañeros de la tabla redonda.

El **Cotton Club** es uno de los hitos de la historia musical americana. El antiguo local estaba ubicado en Lennox Avenue, en Harlem. Este club ha lanzado artistas de la talla de Cab Calloway, Duke Ellington y Lena Horne. Ha reabierto sus puertas en el 666 W. de la 125th Street.

No lo dude, si quiere ver un espectáculo de calidad, vaya a Radio City Music Hall.

Los turistas que gustan de ver a personajes famosos no faltan a la cita del **Michael's Pub**, que ofrece discoteca y restaurante (57 East 54th Street). Algunas noches Woody Allen toca el clarinete con la New Orleans Funeral and Ragtime Orchestra en el Carlyle Cafe (76th at Madison). Personajes como Mel Torme, Mickey Rooney y Joan Rivers han dado aquí muestras de su talento.

En Downtown encontrará gran cantidad de cabarets. Las publicaciones citadas en la p. 96 le informarán de los espectáculos en cartel y sus señas.

Clubs y discotecas

Paralelamente a este Nueva York, existe otro en el que se desarrolla una «subcultura» dominada por la música popular y que lleva a escena baile y música en sus manifestaciones más variadas. Algunos locales todavía exigen ir vestido con chaqueta y corbata, pero la mayoría se conforman con un atuendo correcto.

Los propietarios se esfuerzan en encontrar sitios originales donde instalar sus locales. El **Tunnel** (200 de la avenida 12, cerca de la calle 27) se lleva la palma de lo estrambótico: alojado en una estación abandonada de metro con su túnel, este local tiene cabida para 6.000 personas con marcha.

Conciertos y ópera

Las salas más conocidas siguen siendo Carnegie Hall y el Lincoln Center (Avery Fisher Hall, la Metropolitan Opera House, New York State Theater), pero puede escuchar música de calidad en muchos otros lugares. El **Amato Opera Theater**, en el 319 Bowery, organiza representaciones de jóvenes actores y músicos de talento. Podrá escuchar música

de cámara en el **Bargemusic**, amarrado debajo del
Brooklyn Bridge (al final del Fulton Ferry Landing,
en Brooklyn Heights). La distinguida Brooklyn
Academy of Music, más conocida por sus iniciales:
BAM, colabora a veces con la Metropolitan Opera
en montajes innovadores de óperas y nuevas obras
teatrales. El **Grace Rainey Rogers Auditorium**
programa audiciones de música clásica con
prestigiosos artistas.

Películas y teatro

Al parecer, los cines de Nueva York programan cada
noche 200 películas para que usted elija, desde los
últimos éxitos de
Hollywood, hasta algunas
películas extranjeras en
versión original y los
clásicos de siempre. Para
informarse del programa
consulte periódicos y
revistas como *The New
Yorker* y *New York Magazine*.
Podrá reservar entradas
marcando el 212/777-
FILM; tenga a mano su
tarjeta de crédito.

Teatros «oficiales» de Broadway

1 American Place
Theater (111 W. 46th St;
℃ 840-2960)

2 Barrymore Theater
(243 W. 47th St;
℃ 239-6200)

3 Belasco Theater (111
W. 44th St;
℃ 239-6200)

4 Booth Theater
(222 W. 45th St;
℃ 339-6200)

*Los principales
teatros «oficiales» de
Broadway en el
mapa.*

5 Broadhurst Theater (235 W. 44th St; ✆ 239-6200)

6 Broadway Theater (1681 Broadway; ✆ 239-6200)

7 Brooks Atkinson Theater (256 W. 47th St; ✆ 719-4099)

8 Circle in the Square (1633 Broadway; ✆ 239-6200)

8 Gershwin Theater (222 W. 51St St; ✆ 586-6510)

9 Cort Theater (138 W. 48th St; ✆ 239-6200)

10 Eugene O'Neill Theater (230 W. 49th St; ✆ 239-6200)

11 Golden Theater (252 W. 45th St; ✆ 239-6200)

12 Helen Hayes Theater (240 W. 44th St; ✆ 944-94450)

13 Imperial Theater (249 W. 45th St; ✆ 239-6200)

14 Lambs Theater (130 W. 44th St; ✆ 997-1780)

15 Longacre Theater (220 W. 48th St; ✆ 239-6200)

16 Lunt-Fontanne Theater (205 W. 46th St; ✆ 575-9200)

17 Lyceum Theater (149 W. 45th St; ✆ 239-6200)

18 Majestic Theater (247 W. 44th St; ✆ 239-6200)

19 Marquis Theater (211W 45th Street; ✆ 382-0100)

20 Martin Beck Theater (302 W. 45th St; ✆ 239-6200)

21 Minskoff Theater (200 W. 45th St; ✆ 869-0550)

22 Music Box Theater (239 W. 45th St; ✆ 239-6200)

23 Nederlander Theater (208 W. 41St St; ✆ 921-8000)

24 Neil Simon Theater (250 W. 52nd St; ✆ 757-8646)

25 Plymouth Theater (236 W. 45th St; ✆ 239-6200)

26 Richard Rogers Theater (226 W. 46th St; ✆ 221-1211)

27 Royale Theater (242 W. 45th St; ✆ 239-6200)

28 Shubert Theater (225 W. 44th St; ✆ 239-6200)

29 St. James' Theater (246 W. 44th St; ✆ 239-6200)

30 Virginia Theater (245 W. 52nd St; ✆ 239-6200)

31 Walter Kerr Theater (219 W. 48th St; ✆ 239-6200)

32 Winter Garden Theater (1634 Broadway; ✆ 239-6200)

Los teatros siguientes no aparecen en el mapa:

Actors Studio (432 W. 44th St; ✆ 757-0870)

Douglas Fairbanks Theater (432 W. 42nd St; ✆ 239-4321)

New Dramatists (424 W. 44th St; ✆ 757-6960)

Westside Theater (407 W. 43rd St; ✆ 315-2244)

Sólo en Broadway se cuentan más montajes de teatro profesional que en el resto de los Estados Unidos. Por otra parte, una de las imágenes que nos viene a la mente cuando se habla de Broadway es la Great White Way (o Gran Vía Blanca, como se llama a Broadway), poblada de cantidad de carteles luminosos que anuncian los espectáculos y las estrellas que en ellos intervienen. El Broadway de antaño se componía tan sólo de unos cincuenta teatros, reagrupados alrededor de Times Square. Hoy, el **Theater Disctrict** se extiende desde Broadway hasta la 7ª avenida, entre las calles 40 y 53.

En términos generales, los teatros «**Off Broadway**» (a saber, fuera del mismo Broadway, pero también de vanguardia) no tienen capacidad para más de 500 espectadores, a menudo están situados en Greenwich Village y presentan producciones más «cerebrales» que las de Broadway. Los teatros «**Off-off Broadway**» pueden estar literalmente en las antípodas, tanto geográficamente como en el plano intelectual, y no cuentan con más de cien plazas.

El teatro en Nueva York es caro pero puede ahorrarse dinero si compra las entradas para el mismo día, además, obtendrá una reducción del 50% en las taquillas del TKS, situadas en Times Square, en el World Trade Center y cerca de Borough Hall, en Brooklyn.

DEPORTE

Si se quiere ganar el corazón de los neoyorquinos sin grandes esfuerzos, el deporte es la clave; sobre todo si se hace seguidor del mismo equipo... Podrá ver espectáculos deportivos en numerosos lugares, desde el Madison Square Garden, en Midtown, hasta el USTA National Tennis Center, en Flushing Meadow-Corona Park (Queens), pasando por el Meadowsland Sports Complex en East Rutherford (Nueva Jersey).

Madison Square Garden, situado encima de Penn Station (entre las calles 31 y 33, a la altura de la 7ª avenida), es escenario de los encuentros deportivos de mayor prestigio. Puede acoger a más de 20.000 espectadores y en él se celebran diversas manifestaciones deportivas a lo largo de todo el año. Seguramente Madison Square Garden es conocido en el extranjero gracias a sus campeonatos del mundo de boxeo. Puede que le resulte difícil conseguir entradas para determinados espectáculos.

Si no consigue obtener entradas para el partido, la carrera o el combate del siglo, consuélese delante de la pantalla gigante de cualquiera de los muchos bares a los que acuden los hinchas.

Fútbol americano

Los dos equipos principales de fútbol de Nueva York son los Jets y los Giants. La ciudad se divide en hinchas de uno u otro equipo, pero ambos juegan en el mismo campo, el **Continental Airlines Arena**, en Nueva Jersey.

Los Giants se enfrentan a los Redskins.

La temporada de fútbol se desarrolla de agosto a finales de diciembre, y la ciudad entera está que salta el tercer domingo de enero, cuando se produce el encuentro decisivo entre los dos finalistas del Superbowl.

Béisbol

La temporada de béisbol dura desde abril hasta octubre, y los partidos que juegan los New York Yankees y los New York Mets son el tema de conversación preferido en bares y taxis. Los Yankees juegan en el **Yankee Stadium**, en el Bronx, y el terreno de juego de los Mets está en Queens: el **Shea Stadium**. El punto culminante de la temporada de béisbol llega en octubre, cuando los equipos campeones de la National League y de la American League se enfrentan en el transcurso de las World Series (campeonatos del mundo).

Baloncesto

Deporte de movimientos rápidos y elegantes, el baloncesto se practica de octubre a mayo. Si no tiene ocasión de ver a los equipos profesionales en la cancha, le recomendamos que vaya a un parque cualquiera y con toda seguridad verá a jóvenes aficionados que practican este deporte con entusiasmo.

Los equipos más importantes de la ciudad son los Knickerbockers (conocidos comúnmente como los Knicks), y los New Jersey Nets. Los Knicks juegan en **Madison Square Garden** y los Nets en el **Continental Arena**.

Carreras de caballos

Las carreras de caballos de pura sangre y las carreras de coches de caballos se celebran en **Meadowlands**. Las carreras de trote tienen lugar entre enero y agosto y las carreras sin obstáculos de septiembre a diciembre.

Durante todo el año se organizan carreras nocturnas de coches de caballos en el **Yonkers**

Los estadounidenses se toman el deporte muy en serio, como demuestra la cantidad de público que asiste a este partido de béisbol (página anterior).

Raceway, en el condado de Westchester (justo al Norte de la frontera municipal de Nueva York).

En el distrito de Queens se organizan muchas carreras de caballos de pura sangre, sobre todo en el **Aqueduct Racetrack**, el hipódromo más grande de Estados Unidos, y en el de **Belmont Park**, al que los hinchas llaman «The Big A»; en el último se celebra el Belmont Stakes, una de las carreras más bonitas de la US Triple Crown.

Las apuestas hípicas son del tipo quiniela. Se puede apostar en el exterior del recinto, en oficinas privadas (algunas muy puestas) denominadas Off-Track Betting Offices y en las oficinas municipales del New York City Off-Track Betting, que dispone de más de 100 sucursales repartidas por los cinco distritos.

Hockey sobre hielo

La temporada del hockey sobre hielo va de octubre a abril. La práctica de este deporte se caracteriza aquí por su velocidad y una agresividad excesiva. Los neoyorquinos siguen fundamentalmente a tres equipos: los New York Islanders, cuya pista se encuentra en el **Nassau Memorial Coliseum** (en Uniondale, Long Island); los New York Rangers, cuya sede está en el **Madison Square Garden**, y los New Jersey Devils, que juegan en el **Continental Arena**.

Tenis

Si desea conseguir entradas «decentes» para las semifinales y las finales de los campeonatos internacionales del Open de Estados Unidos (celebradas en el **USTA National Tennis Center** del Flushing Meadow-Corona Park) sólo le harán falta dos cosas: tiempo y dinero. Las entradas para el nuevo Arthur Ashe Stadium se las lleva el primero que llega (y lógicamente no hay para todos). Este torneo tiene lugar en septiembre.

A a la Z

Accidentes y averías

Compruebe si el alquiler del automóvil incluye el seguro CDW. Esta póliza no es nada barata (entre 9 y 13 dólares por día), pero de no contratarla deberá hacerse cargo de cualquier abolladura o arañazo que sufra el coche. Si no está incluida en el precio de alquiler, le recomendamos que la contrate, a menos que ya esté cubierto por su propia póliza.

La agencia deberá proporcionarle un número de teléfono de urgencia en previsión de cualquier avería. De no ser así, aparque el coche en el arcén, abra el capó y espere a que llegue la policía. Las mujeres que viajen solas deben recordar que no es aconsejable hacer evidente que tienen problemas. La agencia que le proporcione el vehículo podrá alquilarle también un teléfono móvil, lo que le permitirá llamar en caso de urgencia.

Aduana

Están exentos de visado los ciudadanos españoles y argentinos que tengan previsto realizar una estancia turística de una duración inferior a 90 días. Sólo se les pedirá un pasaporte en regla y un formulario de exención de visado; este último lo facilita con antelación la agencia de viajes o la compañía aérea en el momento de facturar y deberá ser entregado a la policía de inmigración al entrar en el país. Dependiendo de la finalidad de su estancia, algunos turistas –sobre todo los que realizan un viaje de negocios– deberán presentar un visado de entrada.

Los ciudadanos de los demás países de América Latina deberán estar en posesión de un pasaporte en regla así como de un visado turístico. Podrá obtener información más detallada en la embajada o consulado de los Estados Unidos más cercano a su domicilio.

No se requiere ningún tipo de vacunación.

Durante el vuelo de **llegada** tendrá que rellenar diversos impresos. Se trata de declaraciones firmadas que le pedirán las autoridades encargadas de inmigración y aduanas nada más llegar al aeropuerto. Le preguntarán dónde ha previsto pasar la primera noche y cuánto tiempo piensa prolongar su estancia. Puede que también le pidan que justifique estar en posesión de los medios necesarios para cubrir sus gastos durante la estancia; si no lo hiciera, se arriesga a que no le permitan entrar en el país.

A fin de acelerar su paso por la aduana, responda cuidadosamente a la pregunta n° 9 del formulario de declaración, que se refiere a la importación de fruta, plantas, carne, piensos, tierra, animales vivos (incluidos los pájaros) y productos agrícolas.

Aeropuertos

Kennedy Airport:
☏ 718-244-4444
La Guardia Airport:
☏ 718-533-3400
Newark Airport:
☏ 973-961-6000

Traslado desde el aeropuerto:
Para llegar a la ciudad, lo más práctico (y lo más barato) es coger el autocar que sale desde cualquiera de los aeropuertos. La compañía Carey presta servicio a diario (también fines de semana); sus autocares salen cada media hora rumbo a los principales puntos de Manhattan. El horario es de 6 h 45 hasta medianoche (en La Guardia Airport) y de 6 h a medianoche (JFK Airport). Esta compañía también presta servicio entre ambos aeropuertos.

Si llega al aeropuerto de Newark, los autocares de Olympia Trails le llevan a Manhattan cada 20 minutos (de 6 h 15 a medianoche).

Otra opción es coger un coche con conductor, un minibús o un taxi, lo cual es más caro: entre 40 y 50 dólares desde el aeropuerto JFK a Manhattan. Le recomendamos que, antes de salir, pida al conductor una aproximación del precio de la carrera, o incluso que acuerde un precio por adelantado, así podrá evitarse una sorpresa desagradable al llegar a su destino. Recuerde que tendrá que añadir una propina al importe de la carrera.

Agua

El agua corriente de Nueva York es de calidad aceptable. La mayoría de los restaurantes y cafeterías le servirán un vaso de agua corriente junto con su consumición. Si lo desea, puede elegir entre un amplio surtido de marcas de agua mineral.

Los «yellow cabs» neoyorquinos: toda una institución.

Albergues de juventud

El *International American Youth Hostel* es un albergue situado en la 891 Amsterdam Avenue. Dispone de dormitorios comunes, y entre otros servicios dispone de cafetería, lavandería, jardín y salas de reunión. Calcule los 23 dólares por noche; 60 dólares por noche si desea una habitación individual que habrá debido reservar previamente; ✆ 932-2300.

Nueva York cuenta también con los YMCA (Young Men's Christian Associations). El Vanderbilt YMCA se encuentra en el 224, 47 calle E (✆ 756-9600). El West Side YMCA está en el 5, 63 calle O (✆ 787-4400) y ofrece un club deportivo y restaurante. El precio de las habitaciones es de 42 dólares por noche y se aconseja reservar, sobre todo de mayo a septiembre.

Véase también **Alojamiento**.

Alojamiento

Nueva York le ofrece cualquier tipo de alojamiento posible: hoteles de todas las categorías o *suites* en residencias privadas, apartamentos con servicio de limpieza, hoteles modestos y albergues juveniles.

El New York Convention and Visitors Office (Oficina de Turismo) publica una lista, que se distribuye de forma gratuita, de la oferta hotelera y de alojamiento en general. Podrá conseguir un descuento si hace su reserva a través de *Express Hotel Reservations* (✆ 800/356-1123).

City Lights Bed and Breakfast (P.O. Box 20355, Cherokee Station, New York, NY 10028; ✆ 212/737-7049) y *Urban Ventures* (38 West 32nd Street, Suite 1412, New York, NY 10001; ✆ 212/594-5650) le ofrecen un servicio gratuito de reserva para habitaciones de huéspedes. Si prefiere un albergue juvenil o cualquier otra fórmula de alojamiento económico podrá elegir entre dormitorio común o habitación individual, la última opción por un precio bastante más elevado.

Para solicitar cualquier información relativa al alojamiento durante su estancia en Nueva York, no dude en escribir al NY Convention and Visitors Bureau, 810 Seventh Avenue, New York, NY 10019; ✆ 212/484-1222.

Dado que los hoteles neoyorquinos suelen estar al completo, es más que aconsejable reservar con bastante antelación, sobre todo si su viaje tiene lugar durante el verano, Semana Santa o Navidad.

Alquiler de vehículos

Aparte de las agencias de alquiler, podrá alquilar un coche en los aeropuertos y en los hoteles de la ciudad. La edad mínima para alquilar un automóvil es de 21 años; algunas compañías exigen haber cumplido los 25, mientras que otras imponen el pago de un suplemento a los conductores menores de 25. Deberá pagar con tarjeta de crédito, en su defecto se le pedirá el pago de una cantidad considerable como fianza.

Le resultará más económico
reservar un paquete consistente en
vuelo + alquiler de coche desde su
punto de partida. Intente acordar un
kilometraje ilimitado y tenga en
cuenta que si desea entregar el coche
en cualquier otro sitio que no sea la
oficina donde lo alquila, le saldrá

*El Hotel Plaza con la estatua del
general Sherman en primer plano.*

más caro. Compruebe la cláusula del
contrato relativa a los daños que
pudiera sufrir el vehículo en caso de
accidente (el «CDW»); si este seguro
no estuviese incluido, sería

aconsejable que lo contratara de forma adicional.

Véase también **Accidentes y Averías**.

Averías *ver* **Accidentes**

Bancos

Abren de 9 h a 15 h, de lunes a jueves (los viernes hasta las 17 h). Sin embargo, cada vez se amplía más el horario de atención al público, y algunos bancos también abren los sábados. Podrá cambiar cheques de viaje o divisa en la mayoría de los bancos, aunque le saldrá más barato si lo hace en las oficinas de cambio, donde la comisión es menor.

Los cajeros automáticos (que se encuentran en el exterior de la mayoría de las oficinas bancarias) aceptan las tarjetas de crédito más conocidas, y con ellas podrá retirar dinero en metálico. Su banco le informará sobre el importe de las comisiones y le aconsejará en qué entidades realizar sus operaciones.

Bicicletas

En las páginas amarillas encontrará oficinas de alquiler de bicicletas. En Loeb Boathouse, en Central Park, podrá alquilar una bici para recorrer los carriles para bicicletas, que discurren a lo largo de varios kilómetros.

Clima *véase la sección* Vivir Nueva York

Conducir

En Estados Unidos se conduce por la derecha de la carretera, y la gasolina es barata. A los extranjeros se les permite circular con el carnet de sus respectivos países.

Los límites de velocidad están estipulados como sigue: 24 km/h (15 mph) en las zonas donde hay colegios, 48 km/h (30 mph) en poblaciones (barrios residenciales o de negocios) y 88 ó 104 km/h (55 ó 65 mph) en autopistas. Respete rigurosamente las señales de limitación de velocidad. Recuerde que todos los pasajeros del vehículo deben llevar puesto el cinturón de seguridad.

Es muy difícil encontrar aparcamiento en las calles de Manhattan, sobre todo entre semana, y el precio de los garajes es muy elevado. La grúa actúa con rapidez, y los vehículos mal aparcados son trasladados a un depósito, o se les multa. Utilice los aparcamientos y los parquímetros, o deje el coche en el hotel.

Véase también **Alquiler de vehículos** y **Accidentes y averías**.

Consulados

España: 150 East 58th Street, NY 10155; ✆ 212/355 4080.

Argentina: 12 West 56th Street, NY 10019; ✆ 212/603 0400.

México: 8 East 41th Street, NY 10017; ✆ 212/669 0456.

Chile: 866 United Nations Plaza, 3rd floor, Suite 302, NY 10017; ✆ 212/355 0612.

Perú: 215 Lexington Avenue, 21, NY 10016; ✆ 212/481 7410.

Corriente eléctrica

Importante: La corriente es de **110 V** y los enchufes son de clavija plana, lo que hace necesario el uso de un adaptador. Podrá conseguir uno en cualquier tienda de aparatos eléctricos o pedir que le presten uno en la recepción de los grandes hoteles. Si el voltaje de su aparato es diferente, también le hará falta un transformador.

Cruceros

La **Circle Line** (©️ 212/563-3200) ofrece cruceros guiados alrededor de la isla de Manhattan; la duración es de tres horas. También ofrece cruceros de dos horas alrededor de Lower Manhattan y hasta la Estatua de la Libertad, así como un crucero nocturno (Harbor Lights, entre las 19 h y las 21 h).

La temporada dura de mediados de marzo a mediados de diciembre. Le recomendamos que haga reserva. El embarque se realiza en el río Hudson, en el muelle (*pier*) de la calle 42.

Delincuencia

La tasa de criminalidad de Nueva York, al igual que la de otras muchas ciudades, es relativamente alta. Se impone por ello tomar una serie de precauciones a fin de reducir riesgos:

– Procure que no se note que es turista.

Park Avenue: Pequeña iglesia con los rascacielos como telón de fondo.

– Evite tentar a los ladrones: No haga muestra ostensible de los dólares que contiene su cartera.

– No juegue con fuego: de noche evite los barrios poco recomendados, e infórmese previamente de qué lugares debe evitar a toda costa.

– Guarde sus objetos de valor en la caja fuerte del hotel; estarán más seguros que si los lleva encima.

– ¿Espera visita? ¿No? Pues entonces no abra la puerta del hotel, a menos que no tenga la menor duda de quién está al otro lado de la puerta.

– Si le han robado el pasaporte, llame inmediatamente al consulado más cercano. No guarde sus cheques de viaje junto con los números de

serie. En caso de pérdida, llame por teléfono al número que su banco le habrá indicado previamente.

Días festivos

New Year's Day (Año Nuevo): 1 de enero.

Martin Luther King's Birthday (Día de M. L. King): Tercer lunes de enero.

Presidents' Day (Día de los Presidentes): Tercer lunes de febrero.

Memorial Day (Día de los Caídos por la Patria): Último lunes de mayo.

Independence Day (Fiesta Nacional): 4 julio.

Labor Day (Fiesta del trabajo): Primer lunes de septiembre.

Columbus Day (Día de Colón): 2° lunes de octubre.

Veterans' Day (Día de los Veteranos de Guerra): 11 noviembre.

Thanksgiving Day (Día de Acción de Gracias): 4° jueves de noviembre.

Christmas Day (Navidad): 25 diciembre.

En estas fechas lo normal es que tiendas, bancos y oficinas permanezcan cerrados todo el día. En algunos sitios, el personal celebra el Viernes Santo (*Good Friday*) librando media jornada.

Diferencia horaria

Nueva York pertenece al huso horario denominado Eastern Standard Time (EST), cinco horas por delante de Greenwich (GMT). El horario de verano comienza el último domingo de abril, cuando se adelantan los relojes una hora, y dura hasta el último domingo de octubre.

Dinero

La moneda estadounidense sigue el sistema decimal, y un dólar ($) se divide en 100 centavos. Todos los billetes son verdes, y del mismo tamaño, así que tenga cuidado para no confundirlos. Encontrará billetes de 1$, 5$, 10$, 20$, 50$ y 100$. Un *coin* equivale a medio dólar (50 centavos), un *quarter* a 25 centavos, un *dime* a 10 centavos, un *nickel* a 5 centavos y un *penny* a 1 centavo.

Se sorprenderá al ver el bajo precio de algunos productos, sobre todo si compra en determinadas zonas. A veces se encuentran auténticas gangas, incluso en los momentos en que la cotización de divisas es más favorable para el dólar.

Si piensa llevar encima grandes cantidades de dinero lo más seguro será llevarlo en cheques de viaje en moneda americana (se aceptan y se cambian por todas partes) o utilizar la tarjeta de crédito. El municipio de Nueva York grava con un impuesto del 8,25% el coste de casi todos los productos y servicios, incluidas las comidas (puede que en el cartel de precios no figure este impuesto). También tendrá que pagar impuestos si se aloja en un hotel (13,25% más 2$ por noche); recuérdelo, pues el precio que le indicarán no incluye el pago de este gravamen. Además, el estado de Nueva York aplica a las habitaciones cuyo precio supera los 100$ un impuesto del 5%. Es práctico llevar encima calderilla y billetes de un dólar.

Véase también **Propinas** y **Bancos**

Discapacitados

Las personas discapacitadas se encuentran con muchas facilidades en los Estados Unidos, excelentemente equipados para este propósito desde que se instaurase en 1990 una ley relativa a sus derechos. Por lo general, el transporte público está preparado para el acceso de sillas de ruedas, y a menudo los acompañantes no pagan billete. Los discapacitados pagan sólo la mitad de la tarifa en la red del transporte público.

Los edificios públicos están obligados por la ley a permitir el acceso de las sillas de ruedas y a ofrecer instalaciones sanitarias adecuadas a las personas discapacitadas. A menudo, los puntos en que se cruza la carretera están dotados de bordillos en rampa para facilitar el tránsito a las personas en silla de ruedas. Los teléfonos públicos están concebidos para que estas personas puedan utilizarlos y los servicios públicos cuentan con instalaciones especiales. En los ascensores hay indicaciones en braille y cada vez son más los aparcamientos reservados para su uso.

Los monumentos más visitados generalmente cuentan con instalaciones para satisfacer las necesidades de los discapacitados, y se esfuerzan en estar equipados adecuadamente y en facilitar los desplazamientos de estas personas. Las oficinas de turismo proporcionan información práctica relativa a las personas con discapacidades (*véase* **Oficinas de turismo**). En la guía telefónica también encontrará listados los organismos que prestan ayuda a los discapacitados.

Los grandes hoteles disponen de habitaciones especialmente preparadas, pero le recomendamos que haga su reserva a tiempo. Las principales agencias de alquiler de coches ofrecen vehículos con mandos manuales sin recargo en el precio; dado que el número disponible de vehículos de este tipo es limitado, le aconsejamos que haga su reserva con la máxima antelación que le sea posible.

Obtendrá una guía gratuita de los centros culturales (*Acces for All*) en Hospital Audiences, Inc., 220 W. 42nd Street, New York, NY 10036; ✆ 212/575-7663.

Divisas *véase* **Dinero**

Embajadas *véase* **Consulados**

Excursiones

Quizá el mejor modo de adentrarse en Nueva York sea hacerlo a pie. Gracias a la disposición en cuadrícula de sus calles, podrá moverse fácilmente por las zonas que

Un atasco en Nueva York es toda una experiencia para contar de vuelta a casa.

le interesen. No obstante, una excursión guiada de medio día o de un día puede ser la solución ideal para hacerse una idea general de la ciudad.

Los agentes de viajes ponen a su disposición gran variedad de excursiones: visitas a monumentos, recorridos en autobuses de dos pisos, vuelos en helicóptero, visitas guiadas a museos y cruceros de tres horas alrededor de la isla de Manhattan. Es el caso, por ejemplo, de la compañía

Gray Lines (✆ 212/397-2600).

Encontrará información detallada sobre estas visitas y otras más en la publicación *Big Apple Visitors Guide*, que obtendrá de forma gratuita en el New York Convention and Visitors Bureau.

Véase **Oficinas de turismo**

Fotografía

En cualquier parte de la ciudad podrá encontrar películas de buena calidad y accesorios para la cámara; también proliferan los comercios de revelado rápido. En los *discount stores* (tiendas de artículos a precio reducido) encontrará películas fotográficas bastante baratas, pero acuérdese de comprobar la fecha de caducidad.

Guarderías

Baby-sitters: ✆ 682-0227

Véase también **Niños**.

Habitaciones de huéspedes *ver* Alojamiento

Helicóptero

El helipuerto está situado en la esquina de la calle 34 del East River. No es necesario hacer reserva anticipada para participar en el paseo aéreo que organiza la compañía **Island Helicopter Sightseeing**: ✆ 212/683-4575.

Horarios de apertura

Drugstores (farmacias): De 9 h a 19 h todos los días. Algunos, como Duane Reade Pharmacy (224 57th

Street, en Broadway; $\textcircled{C}$ 212/755-
2266), abren las 24 horas del día.
Kaufman's Pharmacy, en Lexington
Avenue, está abierta
permanentemente ($\textcircled{C}$ 212/755-2266).

Tiendas: De 10 h a 18 h de lunes
a viernes (los sábados de 10 h a
13 h). Muchos grandes almacenes
abren hasta más tarde una o dos veces
por semana, además del domingo.

Supermercados: De lunes a
sábado de 8 h a 21 h o 22 h, y de
8 h a 19 h los domingos. Algunos
permanecen abiertos las 24 horas del
día.

Véase también **Oficinas de correos**
y **Bancos**

Idioma
El idioma más extendido es el inglés,
aunque en Nueva York se hablan
casi todos los idiomas del mundo. Si
sus conocimientos del idioma se
basan más en el inglés británico será
conveniente que recuerde que hay
algunas diferencias, sobre todo de
vocabulario (véase tabla en la página
siguiente).

Iglesias *véase* Religión

Información *véase* Oficinas de turismo

Lavanderías
Encontrará cantidad de lavanderías
de autoservicio cuyas máquinas

*Si coge un barco podrá disfrutar de
fabulosas panorámicas de
Manhattan.*

funcionan con monedas, así como negocios de lavado y planchado. También le prestarán este servicio en el hotel, pero el precio es más elevado.

Libros

No son pocos los libros que le llevarán al corazón de la Big Apple. Por ejemplo *Nueva York* (Anagrama) de Eduardo Mendoza, o la *Balada de Caín* (Destino) de Manuel Vicent. Descubra el Nueva York del s. XIX y su alta burguesía gracias a Edith Wharton y su *Vieja Nueva York* (Destinolibro) o el Nueva York de las finanzas en *La hoguera de las vanidades* (Anagrama), de Tom Wolfe. Un libro que no se debería perder: *Manhattan Transfer* (Bruguera), de John Dos Passos; aproveche este viaje para leerlo (o releerlo). Caperucita viaja en el tiempo y se planta en los años noventa de la mano de Carmen Martín Gaite, quien nos cuenta la historia de la pequeña Sara Allen en *Caperucita en Manhattan* (Siruela); el sueño de Sara: mudarse de Brooklyn a Manhattan. En cuanto a la poesía, cómo olvidarnos de *Poeta en Nueva York* (Espasa, colección Austral), de García Lorca. No pase por alto el pequeño homenaje que José María Conget rinde a Manhattan en *Cincuenta y tres y Octava* (Xordica), ni tampoco *La trilogía de Nueva York* (Anagrama), de Paul Auster.

Llegada *véase* Aeropuertos y Aduana

Mapas y guías

En las principales oficinas de turismo y en las cámaras de comercio le proporcionarán de forma gratuita mapas de la ciudad y folletos, así como el plano del metro y de las líneas de autobús. Las agencias de alquiler de vehículos también disponen de mapas que le ayudarán a planificar su itinerario.

Algunos ejemplos:

Británico	Americano	Castellano
public toilet	restroom	servicios
grilled	broiled	a la parrilla
no overtaking	do not pass	prohibido adelantar
no parking	no standing	prohibido aparcar
trousers	pants	pantalones
chemist	drugstore	farmacia
underground	subway	metro
bill	check	cuenta
pavement	sidewalk	acera
lift	elevator	ascensor
holiday	vacation	vacaciones
ground floor	1st floor	planta baja

Si tiene pensado salir de Nueva York lo ideal es hacer uso de un mapa de carreteras a gran escala. Recuerde que el mapa n° **930** de Michelin (1/3.450.000) cubre las principales carreteras y los lugares de interés turístico, y que el n° **933** (1/3.850.000) se ocupa de aproximadamente 500 parques naturales, monumentos y lugares de interés histórico. En cualquier caso, si visita un parque nacional o regional, a la entrada le darán un plano en el que aparecen los recorridos turísticos, los senderos y las pistas.

Niños

Muchos hoteles permiten que los niños se alojen en la misma habitación que sus padres sin el pago de suplemento alguno, mientras que otros aplican tarifas especiales. Infórmese en el hotel sobre las actividades organizadas para los niños, o si tienen un servicio de guardería.

En Nueva York a los niños no les faltarán cosas por ver y por hacer. Existen museos pensados especialmente para ellos; también hay zoos, parques y playas. Los teatros y bibliotecas para niños organizan numerosas actividades durante el verano.

La revista gratuita *New York Family* publica un calendario mensual de las atracciones infantiles; también podrá obtener el folleto desplegable *New York for Kids* en el New York Convention & Visitors Bureau (Oficina de Congresos y de Turismo), 810 Seventh Avenue, New York, NY 10019, (✆ 212/484-1222).

Objetos perdidos

Declare la pérdida de cualquier objeto en cuanto se dé cuenta. En el hotel, póngase en contacto con recepción o con seguridad. En la guía de teléfonos local encontrará los números de teléfono de las compañías de taxis y de transporte público. Si pierde documentos de identidad, deberá informar a la policía. Haga una denuncia por escrito si ha perdido objetos de valor asegurados. En caso de robo o pérdida de cheques de viaje o de tarjetas de crédito avise inmediatamente a la policía y al organismo emisor, proporcionándoles los números de serie.

Si se le ha olvidado algo en un taxi, póngase en contacto con la oficina de objetos perdidos (**Lost Property Office**: ✆ 212/8404734). Si es posible, comuníqueles el número de identificación del vehículo (lo llevan expuesto en el salpicadero del taxi y debe aparecer en su recibo).

Oficinas de correos

Las oficinas de correos abren generalmente de 9 h a 16 h 30 o 17 h, pero estos horarios pueden verse modificados. Podrá conseguir sellos en las máquinas distribuidoras de correos o en los barrios comerciales, así como en hoteles y *drugstores*.

Los buzones son de color azul y se encuentran en las esquinas de las calles, repartidos aproximadamente cada tres manzanas.

La tarifa de franqueo para el interior de los Estados Unidos es de 32 centavos para correo ordinario, siempre que no pese más de una onza (28 gramos). El correo aéreo entre los Estados Unidos y Europa tarda en llegar una semana aproximadamente, y las tarifas son las siguientes: 50 centavos para las tarjetas postales, 55 centavos para los aerogramas y 60 centavos para las cartas (hasta 14 g). El envío de paquetes se rige por normas muy estrictas que estipulan la utilización de embalajes especiales (se venden en las oficinas de correos) y el modo de cerrarlos.

La oficina central abre de forma permanente y está situada en la esquina de West 33rd Street con Eighth Avenue (℗ 212/967-8585).

La oficina de correos de Grand Central Terminal Railroad, en el 450 Lexington Avenue con la calle 45, abre de 7 h 30 a 21 h, de lunes a viernes, y de 7 h 30 a 13 h los sábados.

Oficinas de turismo

La oficina de turismo americana no tiene sucursal en España. No obstante, podrá obtener algo de información en el «Documentation Service» de la embajada de Estados Unidos en Madrid (Paseo de la Castellana 52, ℗ 915 64 55 15) y, una vez allí, en el NY Convention and Visitors Bureau (2 Colombus

Circle, NY 10019; ℗ 212/397 8222). En este último encontrará gran cantidad de mapas, folletos, guías e información impresa sobre alojamiento, manifestaciones culturales de la temporada, lugares donde comer, sitios de interés turístico y excursiones.

El NY Convention and Visitors Bureau publica anualmente la *Big Apple Guide* (Guía de la Gran Manzana), que podrá obtener de forma gratuita. El personal habla varios idiomas y están dispuestos a responder a sus preguntas.

El **Times Square Visitor & Transit Information Center** (calle 42, a la altura de la 7ᵃ avenida) abre todos los días de 10 h a 19 h y ofrece información de todo lo relativo al turismo en Nueva York.

Paseos *ver* Excursiones

Playas

Encontrará playas muy bonitas en Long Island y en Staten Island, a las que llegará fácilmente desde Manhattan. Más cerca del centro, Coney Island (Brooklyn) y Orchard Beach (Bronx) le permiten descansar un rato del ritmo de la ciudad.

Policía

En caso de necesidad, marque el 911: la policía intervendrá con rapidez. En Estados Unidos hay tres cuerpos de policía: la policía municipal (City Force), las oficinas del *sheriff* (cuya misión es velar por

La policía neoyorquina no tiene tiempo de cruzarse de brazos.

INFORMACIÓN de la A a la Z

la seguridad fuera de las ciudades), y la policía de carretera (Highway Patrol), que se ocupa de los accidentes y de las infracciones cometidas en las autopistas.

Prensa

Los periódicos locales son *The New York Times*, el *Daily News* y el *New York Post* pero no tendrá problemas para encontrar otros periódicos americanos y extranjeros. La prensa semanal (como el *New York Magazine, The New Yorker* y *The Village Voice*) publica los programas de fiestas y manifestaciones culturales de Nueva York y alrededores. Puede obtener ejemplares gratuitos de *City Guide* y de *Where New York* en su hotel o en cualquier restaurante.

Propinas

La propina es obligatoria en Estados Unidos. Lo normal es dejar del 15% al 20% en los restaurantes, el 15% a los taxistas, del 10% al 20% en las peluquerías y el 10% a los camareros. Las encargadas de hacer la habitación por lo general reciben 2 dólares al día, y los porteros que le paran el taxi 1 dólar. (Para simplificar el cálculo, los neoyorquinos suelen multiplicar por dos el importe del impuesto municipal que figura en la cuenta del restaurante, lo que se traduce en una propina del 16,5%).

Reclamaciones

Si desea hacer alguna reclamación diríjase al gerente. Para quejas de carácter más serio, póngase en contacto con la policía o diríjase a la oficina de turismo (*véase* **Oficinas de turismo**).

Religión

Nueva York es un crisol donde se funden todas las nacionalidades del mundo, y en ella están representadas prácticamente todas las creencias religiosas. Encontrará fácilmente iglesias católicas. La mayoría de las comunidades disponen de iglesias de diversas confesiones. Nueva York también acoge una importante comunidad judía.

Para obtener información sobre los diversos servicios religiosos, póngase en contacto con la cámara de comercio local o el con la New York State Tourist Office (*véase* **Oficinas de turismo**).

Requisitos para entrar en Estados Unidos *véase* Aduana

Ropa

Estados Unidos no ha adoptado el sistema métrico para las tallas de ropa, por ello, si desea comprar ropa o calzado, le será útil utilizar la siguiente tabla de conversión de tallas (lo que no le impide probarse la ropa, pues a menudo la talla varía según la marca):

Vestidos

EE.UU.	6	8	10	12	14	16
E	36	38	40	42	44	46

Zapatos de señora

EE.UU.	5	6	7	8	9	10
E		36	37	38	39	40	41

Camisas de caballero

EE.UU.	14	15	15.5	15.75	16	16.5
E		36	38	39	40	41	42

Salud

Contratar una póliza de seguro médico es primordial para todo visitante extranjero, pues en Estados Unidos no hay seguridad social pública y la atención médica privada tiene unos precios exorbitantes. Las agencias de viajes le indicarán cuál es la póliza apropiada, que debería proporcionarle una cobertura médica por un valor de al menos 1.000.000 de dólares (alrededor de 150.000.000 pesetas).

Si tuviera un accidente grave durante su estancia, lo primero que harán es atenderle y después vendrá la cuestión del pago. Para los casos menores consulte los apartados destinados a «médicos y cirujanos» (Physicians and Surgeons) o «clínicas» (Clinics) de las páginas amarillas (Yellow Pages). Guarde todas las facturas y el informe médico para solicitar la devolución.

En la guía telefónica encontrará clínicas y gabinetes odontológicos a los que dirigirse en caso de necesidad. Acuda a una farmacia para problemas menores; disponen de un impresionante surtido de medicamentos que le aliviarán el malestar.

Kaufman's Pharmacy, en Lexington Avenue, está permanentemente de guardia (© 212/755-2266). También existe un servicio odontológico de urgencia: © 212/679-3966.

Si sabe de antemano que necesitará obtener un medicamento durante su estancia, pídale a su médico una receta en la que se indique la composición, y no el nombre.

Sellos *ver* Oficinas de correos

Servicios

En la medida de lo posible evite los servicios públicos en determinados lugares, como los parques, tanto por higiene como por seguridad. En cambio, los edificios públicos están obligados a disponer de servicios (indicados con las palabras *rest room, powder room, men's room* o *women's room*), que por lo general están bien cuidados. Esto también se aplica a restaurantes y cafeterías. En los restaurantes y salas de espectáculos donde haya un encargado se acostumbra a dejar una propina.

Tabaco

Los fumadores están mal vistos en los Estados Unidos, aunque en Nueva York no es tan grave. En los lugares públicos y en el transporte público no está permitido fumar. Algunos restaurantes, no obstante, reservan una zona para fumadores.

Teléfono

Si quiere llamar al extranjero, lo más sencillo es que lo haga desde la habitación del hotel y no desde una

¿Qué le parece coger una calesa para recorrer Central Park?

cabina pública; así ganará en tiempo y en esfuerzo, a pesar de la diferencia de precio. Si desea llamar a cobro revertido o cargar el importe de la llamada en su tarjeta de crédito, póngase en contacto con la operadora marcando el 0.

Si llama directamente desde una cabina, marque el 011 seguido del prefijo del país (el 34 para España, el 54 para Argentina, el 52 para México, el 58 para Venezuela etc.), el prefijo provincial y finalmente el número del abonado. Hágase con una cantidad suficiente de monedas. La tarifa reducida para las llamadas internacionales a Europa se aplica entre las 18 h y las 6 h; lo anterior también se aplica a las llamadas locales y de larga distancia en el interior del país.

Para llamar a otra zona, marque el 1 seguido del prefijo regional y el número del abonado. En la cabina se indica la tarifa aplicada a las llamadas locales.

Televisión y radio

Ver la televisión en Nueva York es una experiencia que no debe perderse de ninguna manera. Decenas de cadenas le ofrecen todos los tipos de programa imaginables.

Transportes

La mejor forma de moverse por Manhattan es a pie, pero la más rápida es el metro; la más interesante es el autobús, pero también puede ser la más lenta.

Estos tres son los modos elegidos por los turistas para visitar la ciudad. Es cierto que la red del transporte público en general funciona satisfactoriamente. En las horas punta, es decir entre 7 h y 9 h de la mañana y entre las 16 h 30 y las 19 h de la tarde, el trasiego alcanza niveles de locura, y lo mejor a esas horas es evitar el metro y el autobús.

El metro (**subway**) funciona las 24 horas del día, pero determinados tramos no funcionan de forma permanente. En la boca del metro encontrará indicadas las líneas que pasan y en qué dirección van. También verá un globo verde, lo que indica que la estación abre ininterrumpidamente, o un globo rojo, lo que quiere decir que tiene un horario de apertura determinado.

La mayoría de las líneas de metro circulan en los sentidos Uptown-Downtown, y no a través. Los costados de los vagones llevan carteles electrónicos en los que se indica el punto de partida y el destino del tren, además del nombre de la línea y su recorrido.

Los trenes regulares paran en todas las estaciones, mientras que los trenes exprés sólo paran en las principales estaciones. El precio del billete de ida es de un dólar y medio, cualquiera que sea su destino. Puede comprar fichas, que también podrá utilizar en autobuses y en las cabinas situadas a la entrada de cada estación. Si viaja de noche, el vagón central es donde generalmente se encuentra el revisor y la gran mayoría de los viajeros, y es sin duda el lugar más seguro. Viajar en metro de día no es más peligroso que en cualquier otra ciudad.

El billete de autobús (**bus**) también cuesta un dólar y medio. Recuerde que deberá pagar el importe exacto o mediante una ficha. Podrá cambiar de una línea a otra, pero al comprar el billete deberá pedir un «transfer» al conductor.

En las grandes avenidas, las paradas del autobús se encuentran cada dos o tres manzanas, por lo general cerca de los cruces. En la parada se indica el número de la línea. Los autobuses también disponen de un cartel electrónico en el que aparecen el número del coche, la línea y el destino.

Taxis: Los famosos «yellow cabs» neoyorquinos se ven por todas partes, y su precio es razonable. Puede pararlos mientras circulan haciendo una señal; también los encontrará delante de los grandes hoteles, de los teatros y de las estaciones.

Los **ferrys** prestan servicio hasta Staten Island y Hoboken, en New Jersey. A Roosevelt Island (la Isla de Roosevelt) podrá llegar con el tranvía aéreo que sale de la estación de la calle 60, cerca de la 2ª avenida.

Véase también **Discapacitados**

Urgencias

En caso de urgencia, no tiene más que marcar el **911** y le pondrán rápidamente en contacto con el servicio que requiera. Procure, en la medida de lo posible, proporcionar datos precisos, como el nombre del

Las torres del World Trade Center.

hotel, o el nombre de la calle y del cruce más cercano. Se han instalado cabinas telefónicas a lo largo de las autopistas que recorren el país (cada 400 u 800 m); desde ellas podrá pedir ayuda sin tener que marcar el 911. En casos de particular gravedad, su consulado también puede serle de ayuda.

Véase también **Salud**

Vestimenta

Estados Unidos se caracteriza por ser poco estricto en cuestiones de ropa. No obstante, algunos restaurantes siguen un código estricto en lo relativo a la indumentaria, por ello le recomendamos que lo compruebe antes de reservar mesa. Asimismo, en el ballet, la ópera y la mayoría de los teatros se impone el uso de ropa formal.

Tenga en cuenta que por la noche puede refrescar, y que en los teatros, restaurantes y tiendas con aire acondicionado se puede pasar incluso frío. No estará de más llevar un jersey o una chaqueta a mano.